CLAUDINE S'EN VA

ŒUVRES DE COLETTE

La Maison de Claudine.
Les Vrilles de la Vigne.
Le voyage égoïste.
Sido.
Ces plaisirs...
Prisons et Paradis.
La jumelle noire (4 volumes).
Duo, roman.
Mes apprentissages.
Le Toutounier, roman.
Bella-Vista.
Gigi.
Le fanal bleu.
L'Ingénue libertine, roman.
Douze dialogues de bêtes.
La retraite sentimentale.
La Vagabonde, roman.
L'Envers du music-hall.
La Chambre éclairée.
Chéri, roman.
Prrou, Poucette et quelques autres.
L'Entrave, roman.
Les Heures longues.
Celle qui en revient.
Rêverie de Nouvel An.

Mitsou, ou comment l'esprit vient aux filles, roman.
La Paix chez les bêtes.
Aventures quotidiennes.
Dans la foule.
La femme cachée.
Le Blé en herbe, roman.
La naissance du jour.
La Fin de Chéri, roman.
La Chatte, roman.
Discours de réception.
Chambre d'hôtel.
Journal a rebours.
Julie de Carneilhan.
Le Képi.
Mes cahiers.
Trois... Six... Neuf...
Broderie ancienne.
Nudité.
Paris de ma fenêtre.
L'Étoile Vesper.
Belles saisons.
Pour un herbier.
Trait pour trait.
La Seconde.

En « collaboration » avec M. Willy.

Claudine a l'école.
Claudine a Paris.

Claudine en ménage.
Claudine s'en va.

THEATRE
En collaboration avec M. Léopold Marchand.
La Vagabonde, pièce en 4 actes.
Chéri, pièce en 4 actes.

Dans Le Livre de Poche :

Claudine a l'école.
Claudine a Paris.
La Seconde.
La Chatte.
La Maison de Claudine.
Le Képi.
Duo *suivi de* Le Toutounier.
Mes apprentissages.
Prisons et paradis.

L'Ingénue libertine.
La Vagabonde.
Gigi.
Mitsou.
Chéri.
Julie de Carneilhan.
Le pur et l'impur.
Le Voyage égoïste.
En pays connu.

Chambre d'hôtel *suivi de* La lune de pluie.
Sido *suivi de* Les Vrilles de la Vigne.
Bella Vista *suivi de* Trois, six, neuf.
Belles saisons.
Le Fanal bleu.
Paris de ma fenêtre.

WILLY ET COLETTE

DE L'ACADÉMIE GONCOURT

Claudine s'en va

(JOURNAL D'ANNIE)

ALBIN MICHEL

Il est parti! Il est parti! Je le répète, je l'écris, pour savoir que cela est vrai, pour savoir si cela me fera mal. Tant qu'il était là, je ne sentais pas qu'il partirait. Il s'agitait avec précision. Il donnait des ordres nets, il me disait : « Annie, vous n'oublierez pas... » puis, s'interrompant : « Mon Dieu, quelle pauvre figure vous me faites. J'ai plus de chagrin de votre chagrin que de mon départ. » Est-ce que je lui faisais une si pauvre figure? Je n'avais pas de peine, puisqu'il était encore là.

A l'entendre me plaindre ainsi je frissonnais, repliée et craintive, je me demandais : « Est-ce que vraiment je vais avoir autant de chagrin qu'il le dit? c'est terrible. »

A présent, c'est la vérité : il est parti. Je crains de bouger, de respirer, de vivre. Un mari ne devrait pas quitter sa femme, quand c'est ce mari-là, et cette femme-là.

Je n'avais pas encore treize ans, qu'il était déjà

le maître de ma vie. Un si beau maître! un garçon roux, plus blanc qu'un œuf, avec des yeux
bleus qui m'éblouissaient. J'attendais ses grandes
vacances, chez grand-mère Lajarisse — toute ma
famille — et je comptais les jours. Le matin venait
enfin où, en entrant dans ma chambre blanche
et grise de petite nonne (à cause des cruels étés
de là-bas, on blanchit à la chaux, et les murs
restent frais et neufs dans l'ombre des persiennes),
en entrant, elle disait : « Les fenêtres de la
chambre d'Alain sont ouvertes, la cuisinière les
a vues en revenant de ville. » Elle m'annonçait
cela tranquillement, sans se douter qu'à ces seuls
mots je me recroquevillais, menue, sous mes draps,
et que je remontais mes genoux jusqu'à mon
menton...

Cet Alain! je l'aimais, à douze ans, comme à
présent, d'un amour confus et épouvanté, sans coquetterie et sans ruse. Chaque année, nous vivions
côte à côte, pendant tout près de quatre mois
(parce qu'on l'élevait en Normandie dans une de
ces écoles genre anglo-saxon, où les vacances sont
longues). Il arrivait blanc et doré, avec cinq ou
six taches de rousseur sous ses yeux bleus et il
poussait la porte du jardin comme on plante un
drapeau sur une citadelle. Je l'attendais, dans ma
petite robe de tous les jours, n'osant pas, de peur
qu'il le remarquât, me parer pour lui. Il m'emme-
nait, nous lisions, nous jouions, il ne me deman-
dait pas mon avis, il se moquait souvent, il décré-

tait : « Nous allons faire ceci, vous tiendrez le
pied de l'échelle : vous tendrez votre tablier pour
que je jette les pommes dedans... »; il posait ses
bras sur mes épaules et regardait autour de lui
d'un air méchant, comme pour dire : « Qu'on
vienne me la prendre! » Il avait seize ans, et moi
douze.

Quelquefois — c'est un geste que j'ai fait encore
hier, humblement — je posais sur son poignet
blanc ma main hâlée et je soupirais : « Comme
je suis noire! » Il montrait ses dents carrées dans
un sourire orgueilleux et répondait : « Sed for-
mosa, chère Annie. »

Voici une photographie de ces temps-là. J'y suis
brune et sans épaisseur, comme maintenant, avec
une petite tête un peu tirée en arrière par les
cheveux noirs et lourds, une bouche en moue qui
implore « je ne le ferai plus », et, sous des cils
très longs plantés en abat-jour, droits comme une
grille, des yeux d'un bleu si liquide qu'ils me
gênent quand je me mire, des yeux ridiculement
clairs, sur cette peau de petite fille kabyle. Mais
puisqu'ils ont su plaire à Alain...

Nous avons grandi très sages, sans baisers et sans
gestes vilains. Oh! ce n'est pas ma faute. J'aurais
dit « oui », même en me taisant. Souvent, près de
lui, au jour finissant, j'ai trouvé trop lourde
l'odeur des jasmins, et j'ai respiré péniblement,
la poitrine étreinte... Comme les mots me man-
quaient pour avouer à Alain : « Le jasmin, le

soir, le duvet de ma peau que caressent mes lèvres, c'est vous... »; alors, je fermais ma bouche, et j'abaissais mes cils sur mes yeux trop clairs dans une attitude si habituelle qu'il ne s'est jamais douté de rien, jamais... Il est aussi honnête qu'il est beau.

A vingt-quatre ans, il a déclaré : « Maintenant, nous allons nous marier », comme il m'aurait dit onze ans auparavant : « A présent, nous allons jouer aux sauvages. »

Il a toujours si bien su ce que je devais faire que me voici, sans lui, comme un inutile joujou mécanique dont on a perdu la clef. Comment saurai-je à présent, où est le bien et le mal?

Pauvre, pauvre petite Annie égoïste et faible! Je me lamente sur moi en pensant à lui. Je l'ai supplié de ne pas partir... en peu de paroles, car son affection, toujours retenue, craint les expansions vives : « Cet héritage, ce n'est peut-être pas grand-chose... nous avons assez d'argent, et c'est chercher bien loin une fortune peu certaine... Alain, si vous chargiez quelqu'un... » L'étonnement de ses sourcils a coupé ma phrase maladroite; mais j'ai repris courage : « Eh bien, alors, Alain, emmenez-moi. »

Son sourire plein de pitié ne m'a pas laissé d'espoir : « Vous emmener, ma pauvre enfant! délicate comme vous l'êtes, et... si mauvaise voyageuse, soit dit sans vous blesser. Vous voyez-vous supportant la traversée jusqu'à Buenos Ayres? Songez à votre santé, songez — c'est un argument qui vous touchera, je le sais — à l'embarras que vous pourriez m'être. »

J'ai abaissé mes paupières, ce qui est ma façon de rentrer chez moi, et j'ai maudit silencieusement mon oncle Etchevarray, tête brûlée qui disparut, il y a quinze ans, sans donner de nouvelles. Le déplaisant toqué, qui s'avise de mourir riche dans des pays qu'on ne connaît pas, et de nous laisser quoi?... des estancias où l'on élève des taureaux, « des taureaux qui se vendent jusqu'à six mille piastres, Annie ». Je ne me rappelle même pas combien cela fait, en francs...

La journée de son départ n'est pas encore finie que me voici écrivant en cachette dans ma chambre, sur le beau cahier qu'il m'a donné pour que j'y tinsse mon « Journal de son voyage » et relisant l'*Emploi du temps* que m'a laissé sa ferme sollicitude.

Juin. — Visites chez madame X..., madame Z..., et madame T... (important).

Une seule visite à Renaud et Claudine, ménage réellement trop fantaisiste pour une jeune femme dont le mari voyage au loin.

Faire payer la facture du tapissier pour les grandes bergères du salon et le lit canné. Ne pas marchander, *car le tapissier fournit nos amis G... on pourrait clabauder.*

Commander les costumes d'été d'Annie. Pas trop

de « genre tailleur », des robes claires et simples.
Que ma chère Annie ne s'entête pas à croire
que le rouge ou l'orange vif lui éclaircissent le
teint.

Vérifier les livres des domestiques chaque samedi
matin. Que Jules n'oublie pas de dépendre la verdure de mon fumoir, et qu'il la roule sous poivre
et tabac. C'est un assez bon garçon, mais mou, et
il fera son service avec négligence, si Annie n'y
veille elle-même.

Annie sortira à pied dans les avenues, et ne lira
pas trop de fadaises, pas trop de romans natura-
listes ou autres.

Prévenir à l' « Urbaine » que nous donnons
congé le 1ᵉʳ juillet. Prendre la victoria à la journée
pendant les cinq jours qui précéderont le départ
pour Arriège.

Ma chère Annie me fera beaucoup de plaisir en
consultant souvent ma sœur Marthe et en sortant
souvent avec elle. Marthe a un grand bon sens et
même du sens pratique sous des dehors un peu
libres.

Il a songé à tout! Et je n'ai pas, même une
minute, la honte de mon... de mon incapacité?
inertie serait peut-être plus juste, ou passivité. La
vigilance active d'Alain absorbe tout et m'ôte le
moindre souci matériel. J'ai voulu, la première
année de notre mariage, secouer ma silencieuse
oisiveté de petite pays-chaud. Alain eut tôt fait

de rabattre mon beau zèle : « Laissez, laissez, Annie, c'est fait, je m'en suis occupé... » « Mais non, Annie, vous ne savez pas, vous n'avez aucune idée... »

Je ne sais rien — qu'obéir. Il m'a appris cela, et je m'en acquitte comme de la seule tâche de mon existence, avec assiduité, avec joie. Mon cou flexible, mes bras pendants, ma taille un peu trop mince et qui plie, jusqu'à mes paupières qui tombent facilement et disent « oui », jusqu'à mon teint de petite esclave me prédestinaient à obéir. Alain me nomme souvent ainsi « petite esclave », il dit cela sans méchanceté, bien sûr, avec seulement un léger mépris pour ma race brune. Il est si blanc!

Oui, cher « Emploi du temps », qui me guidez encore en son absence et jusqu'à sa première lettre, oui, je donnerai congé à l' « Urbaine », je surveillerai Jules, je vérifierai les livres des domestiques, je ferai mes visites et je verrai souvent Marthe.

Marthe, c'est ma belle-sœur, la sœur d'Alain. Quoiqu'il la blâme d'avoir épousé un romancier, pourtant connu, mon mari lui reconnaît une intelligence vive et désordonnée, une lucidité brouillonne. Il dit volontiers : « Elle est adroite. » Je n'arrive pas à démêler très bien la valeur de ce compliment.

En tout cas, elle joue de son frère avec un doigté infaillible, et je crois bien qu'Alain ne le

devine pas. Avec quel art elle sauve le mot risqué
qu'elle vient de laisser échapper, avec quelle maîtrise elle escamote un sujet de conversation dangereux! Quand j'ai fâché mon seigneur et maître,
je reste là toute triste, sans même implorer ma
grâce; Marthe, elle, rit à son nez, ou admire à
propos une remarque qu'il vient de faire, dénigre
à coups de mots drôles un raseur particulièrement
odieux — et Alain déplisse ses durs sourcils.

Adroite, certes, de l'esprit et des mains. Je la
regarde ébahie, lorsque, en bavardant, elle fait
éclore sous ses doigts un adorable chapeau, ou un
jabot de dentelle, avec le chic d'une « première »
de bonne maison. Marthe n'a rien pourtant du
trottin. Assez petite, potelée, la taille serrée et très
mince, une croupe avenante et mobile, elle porte
droite une tête flambante de cheveux roux doré
(les cheveux d'Alain) éclairée encore par de ter-
ribles yeux gris. Une figure de petite pétroleuse
— au sens communard du mot — qu'elle arrange
très joliment en minois dix-huitième siècle. De la
poudre de riz, du rouge aux lèvres, des robes bruis-
santes en soies peintes à guirlandes, le corsage à
pointe et les talons très hauts. Claudine (l'amu-
sante Claudine qu'il ne faut pas trop voir) l'appelle souvent « marquise pour barricades ».

Cette Ninon révolutionnaire a su asservir — là
encore je reconnais le sang d'Alain — le mari
qu'elle a conquis après une courte lutte : Léon
c'est un peu l'Annie de Marthe. Quand je pense à

lui, je l'appelle « ce pauvre Léon ». Pourtant, il n'a pas l'air malheureux. Il est brun, régulier, joli garçon, la barbe en pointe et l'œil en amande, avec des cheveux doux et plats. Un type parfaitement français et modéré. On lui voudrait plus de saccade dans le profil, plus de carrure dans le menton, de brusquerie dans l'arcade sourcilière, moins de condescendance dans ses yeux noirs. Il est un peu — c'est méchant ce que j'écris là — un peu « premier à la soie », prétend cette peste de Claudine qui l'a nommé un jour : « *Et-avec-ça-Madame?* » Et l'étiquette est restée à ce pauvre Léon, que Marthe traite en propriété de rapport.

Elle l'enferme régulièrement trois ou quatre heures par jour, moyennant quoi il fournit, m'a-t-elle confié, un bon rendement moyen d'un roman deux tiers par an, « le strict nécessaire », ajoute-t-elle.

Qu'il y ait des femmes douées d'assez d'initiative, de volonté quotidienne, — et de cruauté aussi — pour édifier et soutenir un budget, un train de vie, sur le dos penché d'un homme qui écrit, qui écrit et qui n'en meurt pas, cela me dépasse. Je blâme quelquefois Marthe, et puis je l'admire avec un peu d'effroi.

Constatant son autorité masculine qui a su exploiter la docilité de Léon, je lui ai dit, un jour de grande hardiesse :

— Marthe, toi et ton mari vous êtes un ménage contre nature.

Elle m'a regardée stupéfaite, et puis elle a ri à s'en trouver mal :

— Non, cette Annie, elle vous a des mots. Tu ne devrais jamais sortir sans un Larousse. Un ménage contre nature! Heureusement que je suis toute seule pour t'entendre, par les modes qui courent...

Mais Alain est parti tout de même! Je ne peux pas l'oublier longtemps dans mon bavardage intime. Que faire? Ce fardeau de vivre seule m'accable... Si j'allais à la campagne, à Casamène, dans la vieille maison que nous a laissée grand-mère Lajarisse, pour n'y voir personne, personne jusqu'à son retour?...

Marthe est entrée, balayant de ses jupes raides, des sabots de ses manches, mes beaux projets ridicules. J'ai caché mon cahier, très vite.

— Toute seule? Viens-tu chez le tailleur? Toute seule dans cette chambre triste! La veuve inconsolée, quoi!...

Sa plaisanterie mal venue, sa ressemblance aussi avec son frère — malgré la poudre, le chapeau Trianon et la haute ombrelle — m'arrachent de nouvelles larmes.

— Bon, ça y est! Annie, tu es la dernière des... épouses. Il reviendra, je te dis! J'imaginais, moi simple, moi indigne, que son absence te donnerait (les premières semaines du moins) une impression de vacances, d'escapade...

— D'escapade, oh! Marthe...

— Quoi, oh! Marthe?... C'est vrai que ça sonne le vide ici, dit-elle en tournant par la chambre, ma chambre, où le départ d'Alain n'a pourtant rien changé.

J'essuie mes yeux, ce qui prend toujours un peu de temps parce que j'ai beaucoup de cils. Marthe dit en riant que j'ai « des cheveux au bout des yeux ».

Elle est appuyée des deux coudes à la cheminée, me tournant le dos. Elle porte, un peu tôt pour la saison, je trouve, une robe de voile bis à petites roses démodées, une jupe montée à fronces et un fichu croisé qui sont de madame Vigée-Lebrun, avec des cheveux roux, dégageant la nuque, qui sont d'Helleu. Cela crie un peu, pourtant sans disgrâce. Mais je garderai ces remarques pour moi. D'ailleurs quelles sont les remarques que je ne garde pas pour moi?...

— Qu'est-ce que tu examines si longtemps, Marthe?

— Je contemple le portrait de monsieur mon frère.

— D'Alain?

— C'est toi qui l'as nommé.

— Qu'est-ce que tu lui trouves?

Elle ne répond pas tout de suite. Puis elle éclate de rire et se retournant :

— C'est extraordinaire, ce qu'il ressemble à un coq!

— A un coq?

— Oui, à un coq. Regarde.

Suffoquée d'entendre une telle horreur, je prends machinalement le portrait d'une photo tirée en sanguine, qui me plaît fort : dans un jardin d'été, mon mari est campé, nu-tête, ses cheveux roux en brosse, l'œil hautain, le jarret bien tendu... Il se tient ainsi habituellement. Il ressemble... à un beau garçon solide, qui a la tête près du bonnet, l'œil prompt; il ressemble aussi à un coq. Marthe a raison. Oui, à un coq roux, vernissé, crêté, ergoté... Désolée comme s'il venait de partir une seconde fois, je refonds en larmes. Ma belle-sœur lève des bras consternés.

— Non, vrai, tu sais, si on ne peut même pas parler de lui! Tu es un cas, ma chère. Ça va être gai d'aller chez le tailleur avec ces yeux-là! Est-ce que je t'ai fait de la peine?

— Non, non, c'est moi toute seule... Laisse, ça va passer...

Je ne peux pourtant pas lui avouer que je suis désespérée qu'Alain ressemble à un coq, et surtout que je m'en sois aperçue... A un coq! Elle avait bien besoin de me faire remarquer cela...

— Madame n'a pas bien dormi?

— Non, Léonie...

— Madame a les yeux battus... Madame devrait prendre un verre de cognac.

— Non, merci. J'aime mieux mon cacao.

Léonie ne connaît qu'un remède à tous les maux : un verre de cognac. J'imagine qu'elle en expérimente journellement les bons effets. Elle m'intimide un peu parce qu'elle est grande, de gestes décidés, qu'elle ferme les portes avec autorité et qu'en cousant dans la lingerie, elle siffle, comme un cocher qui revient du régiment, des sonneries militaires. C'est d'ailleurs une fille capable de dévouement, qui me sert depuis mon mariage, depuis quatre ans, avec un mépris affectueux.

Seule à mon réveil, seule à me dire qu'une journée et une nuit se sont écoulées depuis le départ d'Alain, seule à réunir tout mon courage pour commander les repas, téléphoner à l' « Ur-

baine », feuilleter les livres de comptes!... Un collégien qui n'a pas fait ses devoirs de vacances ne
s'éveille pas plus morne que moi, le matin de la
rentrée...

Hier, je n'ai pas accompagné ma belle-sœur à
l'essayage. Je lui en voulais, à cause du coq... J'ai
prétexté une fatigue, la rougeur de mes paupières.

Aujourd'hui, je veux secouer ma prostration et
— puisque Alain me l'a ordonné — visiter Marthe
à son jour, bien que la traversée, sans appui, toute
seule, de ce salon immense, sonore de voix fémi-
nines, me soit toujours un petit supplice. Si je me
faisais, comme dit Claudine, « porter malade »?
Oh! non, je ne peux pas désobéir à mon mari.

— Quelle robe que Madame a besoin?

Oui, quelle robe? Alain n'hésiterait pas, lui.
D'un coup d'œil, il eût consulté la couleur du
temps, celle de mon teint, puis les noms inscrits au
« jour », et son choix infaillible eût tout contenté...

— Ma robe en crêpe gris, Léonie, et le chapeau
aux papillons...

Des papillons gris aux ailes de plumes cendrées,
tachées de lunules orange et roses, qui m'amusent.
Enfin! il faut constater que mon grand chagrin ne
m'enlaidit pas trop. Le chapeau aux papillons bien
droit sur les cheveux lisses et gonflés, la raie à
droite et le chignon bas, les yeux bleus gênants et
pâles, plus liquides encore à cause des larmes récentes. allons, il y a de quoi faire pester Valentine
Chessenet, une fidèle du salon de ma belle-sœur,

qui me déteste parce que (je sens cela) elle trou-
verait volontiers mon mari tout à fait de son
goût. Une créature qu'on a plongée, dirait-on,
dans un bain décolorant. Les cheveux, la peau,
les cils, tout du même blond rosâtre. Elle se ma-
quille en rose, se poisse les cils au mascaro (c'est
Marthe qui me l'a dit) sans arriver à tonifier sa
fadasse anémie.

Elle sera à son poste chez Marthe, le dos au
jour pour masquer ses poches sous les yeux, à
bonne distance de la Rose-Chou dont elle redoute
l'éclat bête et sain, elle me criera aigrement, par-
dessus les têtes, des rosseries auxquelles je ne saurai rien répondre; mon silence intimidé fera rire
d'autres perruches, et on m'appellera encore « la
petite oie noire »! Alain, autoritaire Alain, c'est
pour vous que je cours m'exposer à tant de dou-
loureuses piqûres!

Dès l'antichambre, à ce bruit de volière, ponctué, comme de coups de bec, par les chocs des
petites cuillers, mes mains se refroidissent.

Elle est là, cette Chessenet! Elles sont toutes là,
et toutes jacassent, sauf Candeur, poétesse-enfant,
dont l'âme silencieuse ne fleurit qu'en beaux vers.
Celle-là se tait, tourne avec lenteur des yeux
moirés et mord sa lèvre inférieure d'un air volup-
tueux et coupable, comme si ce fût la lèvre d'une
autre...

Il y a Miss Flossie, qui dit, pour refuser une
tasse de thé, un « Non... », si prolongé, dans un

petit râle guttural semblant accorder toute elle-
même. Alain ne veut pas (pourquoi?) que je la
connaisse, cette Américaine plus souple qu'une
écharpe, dont l'étincelant visage brille de cheveux
d'or, de prunelles bleu de mer, de dents impla-
cables. Elle me sourit sans embarras, ses yeux rivés
aux miens, jusqu'à ce qu'un frémissement de son
sourcil gauche, singulier, gênant comme un appel,
fasse détourner mon regard... Miss Flossie sourit
plus nerveusement alors, tandis qu'une enfant
rousse et mince, blottie dans son ombre, me
couve, inexplicablement, de ses profonds yeux de
haine...

Maugis — un gros critique musical —, ses yeux
saillants avivés d'une lueur courte, considère le
couple des Américaines de tout près, avec une in-
solence à gifler, et grognonne presque indistincte-
ment, en remplissant de whisky un verre à bor-
deaux :

— Quéqu'Sapho, pourvu qu'on rigole!

Je ne comprends pas; j'ose à peine regarder tous
ces visages subitement figés dans une immobilité
malveillante à cause de ma robe qui est jolie. Que
je voudrais m'enfuir! Je me réfugie près de Marthe
qui me réchauffe de sa main solide et petite, de
ses yeux d'audace, braves comme elle-même.
Comme je l'envie d'être si brave! Elle a la langue
vive et impatiente, elle dépense beaucoup, il n'en
faut pas tant pour qu'on potine autour d'elle sans
bonté. Elle le sait, court au-devant des allusions,

empoigne les amies perfides et les secoue avec l'entrain et la ténacité d'un bon ratier.

Aujourd'hui, je l'embrasserais pour sa réponse à madame Chessenet, qui crie à mon entrée :

— Ah! voici la veuve du Malabar!

— Ne la taquinez pas trop, riposte Marthe. Après tout, quand un mari s'en va, ça laisse un vide.

Derrière moi une voix pénétrée acquiesce, en roulant des *r* :

— Cerrrtainement, un vide considérrrable... et doulourrrreux!

Et toutes partent d'un éclat de rire. Je me suis retournée, confuse, et ma gêne augmente en reconnaissant Claudine, la femme de Renaud. « Une seule visite à Renaud et Claudine, ménage trop fantaisiste... » La circonspection que leur témoigne Alain me rend sotte et comme coupable en leur présence. Pourtant, je les trouve enviables et gentils, ce mari et cette femme qui ne se quittent pas, unis comme des amants.

Comme j'avouais à Alain, un jour, que je ne blâmais point Claudine et Renaud de se poser en amants mariés, il m'a demandé, assez sec :

— Où avez-vous pris, ma chère, que des amants se voient plus et mieux que des époux?

Je lui ai répondu sincèrement :

— Je ne sais pas...

Depuis ce temps nous n'échangeons plus, avec ce ménage « fantaisiste », que de rares visites de politesse. Cela ne gêne point Claudine, que rien ne gêne, ni Renaud qui ne se soucie guère que de sa femme au monde. Et Alain professe une parfaite horreur des ruptures inutiles.

Claudine ne paraît point se douter qu'elle a déchaîné les rires. Elle mange, les yeux baissés, un sandwich au homard, et déclare posément, après, que « c'est le sixième ».

— Oui, dit Marthe gaiement, vous êtes une relation ruineuse, l'âme de madame Beulé a passé en vous.

— Son estomac seulement, c'est tout ce qu'elle avait de bon à prendre, rectifie Claudine.

— Méfiez-vous! ma chère, insinue madame Chessenet, vous engraisserez à ce régime-là. Il m'a semblé, l'autre soir, que vos bras prenaient une agréable, mais dangereuse ampleur.

— Peuh! réplique Claudine, la bouche pleine, je vous souhaite seulement d'avoir les cuisses comme j'ai les bras, ça fera plaisir à bien du monde.

Madame Chessenet, qui est maigre, et s'en désole, avale cette rebuffade péniblement, le cou si tendu que je crains un petit esclandre. Mais elle toise seulement, avec un mutisme rageur, l'insolente aux cheveux courts, et se lève. J'esquisse un mouvement pour me lever aussi, puis je me rassieds afin de ne pas sortir avec cette vipère décolorée.

Claudine attaque vaillamment l'assiette aux petits choux pralinés et m'en offre (si Alain nous voyait!...). J'accepte et je lui chuchote :

— Elle va en inventer des horreurs sur vous, cette Chessenet!

— Je l'en défie bien. Elle a déjà sorti tout ce qu'elle pouvait imaginer. N'y a plus que l'infanticide qu'elle ne m'a pas attribué, et encore je n'oserais pas en répondre.

— Elle ne vous aime pas? questionné-je timidement.

— Si; mais elle le cache.

— Ça vous est égal?

— Pardi!

— Pourquoi?

Les beaux yeux de Claudine me dévisagent.

— Pourquoi? Je ne sais pas, moi. Parce que...

L'approche de son mari interrompt sa réponse. Souriant, il lui indique la porte d'un signe léger. Elle quitte sa chaise, souple et silencieuse comme une chatte. Je ne saurai pas pourquoi.

Pourtant, il me semble que ce regard enveloppant qu'elle lui a jeté était bien une réponse...

Je veux partir aussi. Debout au milieu de ce cercle de femmes et d'hommes, je me sens défaillir d'embarras. Claudine voit mon angoisse, revient vers moi; sa main nerveuse agrippe la mienne et la tient ferme pendant que ma belle-sœur m'interroge.

— Pas encore de nouvelles d'Alain?

— Non, pas encore. Je trouverai peut-être un télégramme en rentrant.

— C'est la grâce que je te souhaite. Bonsoir, Annie.

— Où passez-vous vos vacances? me demande tout doucement Claudine.

— A Arriège, avec Marthe et Léon.

— Si c'est avec Marthe!... Alain peut naviguer tranquille.

— Croyez-vous que, même sans Marthe...

Je sens que je rougis; Claudine hausse les épaules et répond, en rejoignant son mari qui l'attend, sans impatience, près de la porte :

— Oh! Dieu non, il vous a trop bien dressée!

CE message téléphonique de Marthe m'embarrasse beaucoup : « Impossible d'aller te cueillir à domicile pour essayer chez Taylor. Viens me prendre à quatre heures chez Claudine. »

Une image outrageante ne m'eût pas plus troublée que ce papier bleu. Chez Claudine! Marthe en parle à son aise; l' « Emploi du temps » dit... Que ne dit-il pas?

Le rendez-vous donné par Marthe, dois-je le considérer comme une visite officielle à Renaud-Claudine? Non... Si... Je m'agite, je cherche à biaiser, craignant de fâcher ma belle-sœur, redoutant Alain et ma conscience; mais ma conscience débilitée, et si peu au fait du chemin à suivre, cède à l'influence la plus proche, elle cède surtout au plaisir de voir cette Claudine qu'on me défend comme un livre libre et trop sincère...

— Rue de Bassano, Charles.

J'ai revêtu une sombre robe modeste, voilé mon visage de tulle uni, ganté mes mains de suède neutre, préoccupée d'enlever à ma « démarche » tout « caractère officiel ». Je vais me servir de ces mots-là, avertie par l'expérience d'Alain qu'une démarche doit ou ne doit point revêtir un caractère officiel. Lorsque je les prononce en pensée, ces mots-là, ils accompagnent, en guise de légende, un dessin, baroque et naïf, de rébus... La Démarche, petit personnage aux membres filiformes, tend ses bras vers les manches offertes d'un habit d'académicien, brodé finement au collet de « caractèrofficiel-caractèrofficielcaract... » en guirlande délicate... Que je suis sotte d'écrire tout cela! Ce n'est qu'une toute petite divagation. Je ne noterai jamais les autres : à les relire, ce cahier me tomberait des mains...

Au palier de Claudine, je consulte ma montre : quatre heures dix, Marthe sera sûrement arrivée, assise et croquant des sucreries dans cet étrange salon qu'à mes premières visites je vis à peine, tant la timidité me suffoquait...

— Madame Léon Payet est arrivée?

Une vieille bonne hostile me regarde distraitement, attentive surtout à empêcher la fuite d'un grand chat fauve et noir.

— Limaçon, le derrière va te cuire, atta l'heure... Madame Léon... quoi? C'est à l'étage au-dessus, probable.

— Non, je voulais dire... Madame Claudine est chez elle?

— Madame Claudine à présent? Vous n'avez pas l'air bien fixée. Claudine, c'est ici... Mais elle est sortie...

— Menteuse des menteuses! crie une voix de

gamin joyeux. Justement, j'y suis, chez moi. Tu
bisques, hein, Mélie?

— Je ne bisque pas du tout, riposte Mélie sans
se troubler. Mais une autre fois, t'iras ouvrir toi-
même, pour t'apprendre.

Et elle s'en va très digne, le chat rayé sur ses
talons. J'attends toujours, au seuil de l'antichambre, qu'un être surgi de l'ombre, veuille
m'introduire... Est-ce la maison de la sorcière?
« Château-gâteau, ô joli château-gâteau... » Ainsi
chantaient Hansel et Gretel devant le palais ten-
tateur...

— Entrez, je suis dans le salon, mais je ne peux
pas bouger, crie la même voix.

Une grande ombre se lève et barre la fenêtre :
c'est Renaud qui vient à ma rencontre.

— Entrez, chère Madame, la petite est si occupée qu'elle vous dira bonjour seulement dans une
minute.

La petite? Mais la voilà accroupie, presque, dans
la cheminée où flambe un feu de bois malgré la
saison. Je m'avance, intriguée : elle tend à la
flamme un objet indistinct — toujours la sorcière
des contes où s'extasièrent les terreurs de mon enfance crédule... — Je craindrais, en le souhaitant,
voir dans la flamme qui dore la tête bouclée de
Claudine se tordre des salamandres, agoniser des
animaux dont le sang, mêlé au vin, fait mourir
de langueur...

Elle se relève, très calme :

— Bonjour, Annie.

— Bonjour, Mad... Claudine.

J'ai articulé son nom avec un peu d'effort. Mais le moyen de dire « Madame » à cette petite femme que tout le monde appelle par son prénom!

— ... Il allait être cuit à point, je ne pouvais pas le lâcher, vous comprenez?

Elle tient un petit gril carré en fil d'argent où noircit et se boursoufle une tablette de chocolat rôtie.

— ... Mais c'est pas encore la perfection, cet outil-là, vous savez, Renaud! Ils m'ont fait un manche trop court, et j'ai une cloque sur la main, tenez!

— Montre vite.

Son grand mari se penche, baise tendrement la fine main échaudée; la caresse des doigts et des lèvres, comme un amant... Ils ne s'occupent plus du tout de moi. Si je m'en allais? Ce spectacle ne me donne pas envie de rire...

— C'est guéri, c'est guéri, s'écrie Claudine en battant ses mains. Nous allons manger la grillade nous deux, Annie. Mon grand, mon beau, je vais faire salon. Allez voir dans votre bureau si j'y suis.

— Je te gêne donc? demande, penché encore vers elle ce mari aux cheveux blancs dont les yeux regardent si jeune.

Sa femme se hausse sur la pointe des pieds, relève à deux mains les longues moustaches de Renaud, et lui plante sur la bouche un baiser qui chante pointu... Oh! je crois bien que je vais me sauver!

— Minute, Annie! où courez-vous par là?

Une main despotique s'est emparée de mon bras, et le visage ambigu de Claudine, bouche railleuse et paupières mélancoliques, m'interroge sévèrement.

Je rougis, comme si je me sentais coupable de ce baiser regardé...

— C'est que... puisque Marthe n'est pas arrivée...

— Marthe? Elle doit venir?

— Mais oui? C'est elle qui m'a donné rendez-vous ici, sans quoi...

— Comment « sans quoi », petite impolie! Renaud, vous saviez que Marthe devait venir?

— Oui, chérie.

— Vous ne m'avez pas prévenue!

— Pardon, ma petite fille. Je t'ai lu tout ton courrier dans ton lit, comme d'habitude. Mais tu jouais avec Fanchette.

— C'est un mensonge éhonté. Dites plutôt que vous vous occupiez, vous-même, à me chatouiller avec les ongles, tout le long des dernières côtes... Assise, Annie! Adieu, mon grand...

Renaud ferme doucement la porte.

Je me pose, un peu raide, tout au bord du divan. Claudine s'y installe en tailleur, les jambes ramenées sous sa jupe de drap orange. Une chemisette de satin souple, blanche, que soulignent des broderies japonaises du même ton que la jupe,

éclaire sa figure mate. A quoi songe-t-elle, si sérieuse tout à coup, pensive, dans sa chemisette
brodée et sous ses cheveux courts, comme un petit
batelier du Bosphore?

— Pas, il est beau?

Sa parole brève, ses gestes, soudains comme son
immobilité, me secouent autant que des bourrades.

— Qui?...

— Renaud, pardi! C'est bien possible qu'il m'ait
lu la lettre de Marthe... Je n'aurai pas fait attention.

— Il lit votre courrier?

Elle dit oui d'un signe, affairée : car la tablette
de chocolat rôtie colle au petit gril d'argent et
menace de s'effriter... Sa distraction m'enhardit :

— Il le lit... avant vous?

Les prunelles malicieuses se lèvent :

— Oui, Mes-Beaux-Yeux. (Vous voulez bien que
je vous appelle « Mes-Beaux-Yeux »?) Qu'est-ce
que ça peut vous faire?

— Oh! rien. Mais je n'aimerais pas cela.

— Rapport à vos flirts?

— Je n'ai pas de flirts, Claudine!

J'ai jeté cela avec tant de feu, tant de sincérité
révoltée que Claudine se tord de joie :

— Elle a coupé! elle a coupé! ô âme candide!
Eh bien, Annie, j'en ai eu, moi, des flirts... et
Renaud me lisait leurs lettres.

— Et... qu'est-ce qu'il disait?

— Peuh... rien. Pas grand-chose. Quelquefois

il soupirait : « C'est curieux, Claudine, la quantité de gens qu'on rencontre, convaincus qu'ils *ne sont pas comme tout le monde* et... du besoin de l'écrire... » Voilà.

— Voilà...

J'ai répété le mot malgré moi, sur le même ton qu'elle...

— ... Alors, Claudine, ça vous est égal?

— Quoi? oui, tout m'est égal, — sauf un seul être... (elle se ravise) pourtant non! Il ne m'est pas indifférent que le ciel soit chaud et pur, que les coussins profonds se creusent sous ma paresse, que l'année abonde en abricots sucrés et en châtaignes farineuses, que le toit de ma maison, à Montigny, soit assez solide pour ne pas semer ses ardoises brodées de lichen, un jour d'orage... (sa voix qui chantait et traînait, se raffermit vite, ironique.) Vous voyez, Annie, que je m'intéresse comme vous, comme tous, au monde extérieur et, pour parler aussi simplement que votre romancier mondain de beau-frère, « à ce que charrie le temps dévorateur qui coule d'un flot inégal ».

Je secoue le front, mal convaincue; et j'accepte, pour plaire à Claudine, des bribes de chocolat grillé, qui sent un peu la fumée, beaucoup la praline.

— C'est divin, pas? Vous savez, c'est moi qui ai inventé le gril à chocolat, ce génial petit machin qu'on a fabriqué, nonobstant mes indications, avec un manche trop court. J'ai inventé aussi le peigne à-carder-les-puces, pour Fanchette, la poêle sans trous pour griller les marrons l'hiver, l'ananas à l'absinthe, la tarte aux épinards (Mélie dit que c'est elle, mais c'est pas vrai), et mon salon-cuisine que voici.

L'humour de Claudine me mène du rire à l'inquiétude, et du malaise à l'admiration. Ses yeux havane, allongés jusqu'aux tempes, proclament avec la même chaleur, le même regard pur et direct, sa passion pour Renaud ou ses droits d'auteur sur le gril à chocolat...

Son salon-cuisine prolonge cette impression d'inquiétude. Je voudrais seulement savoir si j'ai devant moi une démente convaincue ou une mystificatrice experte...

Une cuisine ou une salle d'auberge, d'auberge triste et enfumée de Hollande. Mais sur quel mur d'auberge, même hollandaise, souriait cette délicieuse Vierge du quinzième siècle, enfantine, frêle, charmante dans sa tunique rose et son manteau bleu, qui s'agenouille et prie, craintivement?

— C'est beau, hein, fait Claudine. Mais, ce qui me plaît le plus là-dedans, c'est le contraste vicieux — parfaitement, vicieux — de cette robe dans les roses tendres avec cet affreux fond de paysage désolé, aussi désolé que vous l'étiez, Annie, le jour que Monsieur votre Alain s'est embarqué. Vous n'y pensez plus, maintenant, à ce navigateur?

— Comment, je n'y pense plus?

— Enfin, vous y pensez **moins**. Oh! ne rougissez

pas pour ça, c'est bien naturel quand il s'agit d'un homme si correct... Tenez, regardez l'expression gentiment contrite de cette Vierge; elle a l'air de dire, en regardant son petit Jésus : « Vrai, c'est bien la première fois que ça m'arrive! » Renaud croit qu'il est de Masolino.

— Qui?

— Pas l'enfant, bien sûr, le tableau! Les compé-ten-ces l'attribuent à Filippo-Lippi.

— Et vous?

— Moi, je m'en fiche.

Je n'insiste pas. Cette critique d'art très particulière me démonte un peu.

Une Claudine de marbre, dans un angle, sourit, les paupières baissées, à la manière d'un Saint-Sébastien qui se délecterait de son supplice. Un grand divan d'ours sombre, que caresse ma main dégantée, recule et s'abrite sous une sorte d'alcôve. Mais tout le reste de l'ameublement me stupéfie : cinq ou six tables de cabaret, en chêne luisant et sombre, comme ciré par les coudes immobiles des buveurs de bière, — autant de bancs épais et patauds, une horloge fruste et endormie, des pichets de grès, une cheminée caverneuse en hotte renversée, gardée par les hauts chenets de cuivre. Sur tout cela, un désordre éphémère de livres jetés, de revues effeuillées qui jonchent l'épais tapis d'un rose terreux... Intriguée, j'ai tout examiné. J'y gagne une tristesse... comment dire? une tristesse maritime, comme si, par ces petits carreaux ver-

dâtres derrière quoi tombe le jour, j'avais longtemps contemplé une houle grise où mousse un
peu d'écume, sous la pluie transparente et légère
ainsi qu'une cendre fine...

Claudine a suivi ma pensée, et lorsque je reviens
à elle, nous nous regardons avec des yeux pareils...

— Vous vous plaisez ici, Claudine?

— Oui. J'ai horreur des appartements gais. Ici,
je voyage. Voyez, les murs verts ont la sombre
couleur du jour regardé à travers une bouteille,
et ces bancs de chêne poli ont porté, je le crois,
tant de derrières découragés de pauvres gens qui
buvaient tristement et se saoulaient... Hé! Il me
semble que Marthe vous pose le petit lapin des
familles, Annie?

Comme elle a rompu brusquement, presque méchamment, le fil de son rêve mélancolique! Je le
suivais si bien, séparée, pour cette heure seulement,
du souci de celui qui est sur la mer... Et puis, la
mobilité de Claudine me fatigue, qui mêle l'enfan-
tillage à la sauvagerie, et dont l'esprit de jeune
barbare peut bondir de la gourmandise à l'amour
immodeste d'un ivrogne désespéré, à cette Marthe
bruissante et agressive.

— Marthe, oui... elle est bien en retard.

— Un peu! Sans doute que Maugis a, pour la
retenir, des arguments sérieux...

— Maugis? est-ce qu'elle devait le voir aujour-
d'hui?

Claudine fronce le nez, penche sa tête comme un

oiseau curieux, me regarde jusqu'au fond des yeux,
puis éclate de rire en sautant sur ses pieds.

— Je ne sais rien, je n'ai rien vu, rien entendu,
crie-t-elle avec une volubilité de petite fille. J'ai
peur seulement de vous ennuyer. Vous connaissez
le gril-à-chocolat, le salon-cuisine, Renaud, mon
portrait en marbre, tout... Je vais toujours appeler
Fanchette, pas?

On n'a jamais le temps de répondre à Claudine.
Elle ouvre une porte, se penche et gazouille des
appels mystérieux :

— Ma bien belle, ma charmante, ma toute
blanche, mou-ci-mouci-amour, vrrrou, vrrrain...

La bête apparaît, lente, somnambulique comme
un petit fauve charmé; une chatte blanche très
belle qui lève sur Claudine des yeux obéissants et
verts.

— ... Ma charbonnière, ma marmitonne, tu as
encore fait pipi sur une bottine vernie à Renaud,
mais il n'en saura rien, je lui dirai que c'est du
cuir de mauvaise qualité. Et il fera semblant de
le croire. Viens que je te dise des choses tout
plein belles de Lucie Delarue-Mardrus!

Claudine empoigne la chatte par la peau du
cou, la lève au-dessus de sa tête et s'écrie :

— Voyez, Madame, le chat noyé pendu à un
crochet (elle ouvre les doigts : Fanchette retombe
de haut sur ses pattes molles et précises, sans une
inquiétude, et reste là...). Vous savez, Annie, depuis
que ma Fille habite Paris, je lui lis des vers, elle

sait par cœur les Baudelaire pour les chats et je
lui apprends maintenant tous les « Pour le chat »
de Lucie Delarue-Mardrus!

Je souris, amusée de cette voltigeante gaminerie.

— Vous croyez qu'elle comprend?

Claudine m'humilie d'un regard traînant par-
dessus l'épaule.

— Etes-vous gourde, Annie! Pardon, je voulais
dire seulement : « J'en suis certaine. » Assise, Fanchette! Regardez, vous, l'incrédule, et écoutez. C'est
inédit. C'est superbe.

POUR LE CHAT

Chat, monarque furtif, mystérieux et sage,
Sont-ils dignes, nos doigts encombrés d'anneaux lourds,
De votre majesté blanche et noire, au visage
      De pierrerie et de velours?

Votre grâce s'enroule ainsi qu'une chenille;
Vous êtes, au toucher, plus brûlant qu'un oiseau.
Et, seule nudité, votre petit museau
      Est une fleur fraîche qui brille.

Vous avez, quoique enrubanné comme un sachet,
De la férocité plein vos oreilles noires,
Quand vous daignez crisper vos pattes péremptoires
      Sur quelque inattendu hochet.

En votre petitesse apaisée ou qui gronde
Râle la royauté des grands tigres sereins;
Comme un sombre trésor vous cachez dans vos reins
      Toute la volupté du monde...

Mais, pour ce soir, nos soins vous importent si peu
Que rien en votre pose immobile n'abdique :
Dans vos larges yeux d'or cligne un regard bouddhique,
Et vous vous souvenez que vous êtes un Dieu.

La chatte dort à demi, vibrante d'un ronron
faible et voilé qui accompagne en sourdine la
voix singulière de Claudine, tantôt grave, pleine
d'*r* caillouteux, tantôt douce et basse à faire
frémir... Quand la voix cesse, Fanchette rouvre
ses yeux obliques. Toutes deux se regardent un
moment aussi sérieuses l'une que l'autre... L'index
levé près du nez, Claudine soupire en se tournant
vers moi.

— « Péremptoire...! » Il fallait dénicher ce mot-
là! C'est beau, hein, ces strophes qu'écrit Ferveur?
Moi, pour avoir trouvé « péremptoire » je don-
nerais dix ans de la vie de la Chessenet!

Ce nom choque ici comme un bibelot de came-
lote dans une collection sans tare.

— Vous n'aimez pas Ch... madame Chessenet,
Claudine?

Claudine presque étendue, les regards au plafond, lève une main paresseuse.

— M'est égal... Betterave jaune sculptée... M'est
aussi égal que la Rose-Chou...

— Ah! la Rose-Chou...

— Rose ou Chou? Cette fille dodue, qui a des
joues comme des fesses de petits amours?

— Oh!...

— Quoi, oh? « Fesse » n'est pas un vilain mot. D'ailleurs, la Rose-Chou aussi... t'égal.

— Et... Marthe?

Une indiscrète curiosité m'anime, comme si, en questionnant Claudine, j'allais surprendre le secret, la « recette » de son bonheur, qui la détache de tout, qui l'éloigne des potins, des mesquines querelles, des convenances même... Mais l'adresse me manque, et Claudine se moque de moi, retournée d'un saut de carpe sur le ventre, le nez dans la fourrure argentée de sa chatte...

— Marthe, je pense qu'elle a manqué son rendez-vous... je veux dire qu'elle nous avait donné. Mais... C'est une interview, Annie?

J'ai honte. Une brusque franchise me jette vers elle :

— Pardonnez-moi, Claudine. C'est que je louvoyais, j'hésitais à vous demander... ce que vous pensez d'Alain... Depuis qu'il est parti, je ne sais comment vivre, et personne ne me parle de lui, du moins comme je voudrais que l'on m'en parlât... Est-ce l'habitude, à Paris, d'oublier si vite ceux qui partent?

J'ai parlé comme je pensais, surprise moi-même de mon émotion. Le visage mat et triangulaire de Claudine se méfie, appuyé sur deux petits poings, éclairé de nacre par le satin blanc de la chemisette.

— Est-ce l'habitude d'oublier?... Je ne sais pas trop. Cela doit dépendre de ceux qui partent.

M. Samzun, « Alain » comme vous dites, m'a
produit l'effet d'un mari... impeccable. Il vise à la
distinction, il décroche la correction, c'est toujours
ça... Il abonde en apophtegmes définitifs et en
gestes...

— « Péremptoires », lui aussi, dis-je aussi avec
un sourire peureux.

— Oui; mais il n'a aucun droit au « péremptoire » lui, puisqu'il n'est pas chat. Ah! non, qu'il
n'est pas chat! Il a du snobisme dans le cœur et
une tringle dans le fondement... Dieu, que je suis
sotte! Voulez-vous ne pas pleurer? Comme si ça
comptait, ce que je dis! Vous savez bien, enfant
battue, que Claudine a un courant d'air dans la
cervelle... Bon, elle veut s'en aller! Embrassez-moi
avant, pour dire que vous ne m'en voulez pas.
Avec son catogan, sa robe plate, ses larmes limpides
au bout des cils, dirait-on pas une petite fille qu'on
marie de force?

Je souris pour lui plaire, pour la remercier de
laisser voir, hors de la commune livrée du mensonge, son âme indocile et sincère...

— Adieu, Claudine. Je ne suis pas fâchée contre
vous.

— J'espère bien. Voulez-vous m'embrasser?

— Oh! oui.

Elle se penche, longue et flexible, les mains sur
mes épaules :

— Donnez bouche! Qu'est-ce que je dis donc?
L'habitude... Donnez votre joue. Là. A bientôt, à

Arriège? Par ici l'antichambre. Bonjour à cette coureuse de Marthe. Non, vos yeux ne sont pas rouges. Adieu, adieu... chrysalide!

Je descends pas à pas, troublée, flottante. Elle a dit : « Une tringle dans le... » Mon Dieu, je crois que c'est la métaphore, l'image de cette tringle qui m'a choquée, plutôt que le jugement même de Claudine. Elle a blasphémé, et je l'ai laissée blasphémer, interdite un moment devant cette enfant sans entraves.

Mon cher Alain, je vous ai promis de montrer du courage. Je ne vous montrerai donc que mon courage, pardonnez-moi de cacher le reste — que vous devinez bien.

Je fais tout mon possible pour que notre maison, que vous aimez nette et bien servie, ne s'aperçoive pas trop de votre départ; les livres des gens sont vus au jour dit, et Léonie est très bien pour moi, en intention au moins.

Votre sœur est charmante, comme toujours; je voudrais gagner à son contact un peu de sa vaillance, de sa volonté toujours éveillée, mais je ne me dissimule pas que c'est une grande ambition — d'ailleurs vous n'y tenez guère, et votre fermeté intelligente suffit aisément pour nous deux.

Je ne sais où cette lettre vous atteindra et l'incertitude où j'en suis augmente ma gaucherie à vous écrire. Une correspondance entre nous deux est une

*chose si nouvelle pour moi, une habitude si perdue!
J'aurais voulu ne jamais la reprendre. Et pourtant je
sens bien que dans mes heures de défaillance, elle me
deviendra le suprême secours. Je vous dirai en peu de
mots, et mal sans doute, et moins que je ne le pense,
que je vous suis de tout mon cœur dévouée, et que je
demeure*

    Votre petite esclave,

                    ANNIE.

J'ai écrit cette lettre, toute contrainte, sans jeter
mon cœur et ma tristesse vers lui. Est-ce manque
de confiance en moi-même, comme toujours, ou en
lui, pour la première fois?

Qui préférerait-il? L'Annie plus silencieuse et
plus douce qu'une plume, celle qu'il connaît, celle
qu'il a habituée à se taire, à voiler sa pensée sous
les mots, ainsi que ses yeux sous ses cils, ou l'Annie
inquiète et désemparée qu'il laisse ici, l'Annie sans
défense contre une folle imagination, celle qu'il
ne connaît pas...

Qu'il ne connaît pas...

Je songe comme une coupable. Cacher, c'est
presque mentir. Je n'ai pas le droit de cacher en
moi deux Annies. Mais si la seconde n'était que la
moitié de l'autre? Que cela me fatigue!

Lui, on le connaît tout quand on l'a vu une
heure. Son âme est régulière comme son visage. Il
déteste l'illogique et craint l'incorrect. M'eût-il
épousée, si, un soir lointain de nos fiançailles, je
lui avais jeté au cou mes bras en lui disant :

« Alain, je ne puis supporter cette heure-ci sans vos caresses... »

Mon Dieu! son absence seule cause tant de déraison. Que de tourments à ne pas lui avouer, à son retour! Ceci ne sera point, comme il avait trouvé, le « Journal de son voyage » mais celui d'une pauvre créature troublée...

— Madame, une dépêche!

Avec ses façons de soldat brusque, cette Léonie m'a fait peur. A présent, mes doigts tremblent d'appréhension...

Excellent voyage. Embarquons aujourd'hui. Lettre suivra. Souvenirs affectueux.

SAMZUN.

C'est tout? Une dépêche n'est pas une lettre, et celle-ci devrait me rassurer de tout point. Mais elle m'arrive dans un tel moment de déséquilibre moral... « Souvenirs affectueux. » Je ne sais pas, j'aurais voulu autre chose. Et puis, je n'aime pas qu'il signe « Samzun ». Est-ce que je signe « Lajarisse »? Ma pauvre Annie, quelle mauvaise bête t'a piquée aujourd'hui? Et quelle rage te prend de t'aller comparer à un homme — à un homme comme Alain?

Je vais chez Marthe, pour me fuir.

C'est Léon que j'y trouve. Comme tous les jours à cette heure-ci, il est attablé dans son cabinet de travail, que Marthe nomme la « chambre des supplices ». Des bibliothèques à grillages dorés, une belle table Louis XVI sur laquelle cet écrivain modèle n'a jamais laissé choir un pâté, car il travaille soigneusement, la paume sur un sous-main — c'est une geôle très supportable.

A mon entrée, il se lève en se tamponnant les tempes.

— Quelle chaleur, Annie! je ne peux accoucher de rien de bon. Et puis, je ne sais pas, mais c'est un jour mou et triste, malgré le soleil. Un mauvais jour sans moralité.

— N'est-ce pas?

Je l'ai interrompu vivement, presque avec gratitude. Il me regarde de ses beaux yeux de bête douce, sans comprendre...

— Oui, j'aurai du mal à tirer mes soixante lignes, aujourd'hui.

— Vous serez grondé, Léon.

Il hausse les épaules, habitué et las.

— Il marche, votre roman?

En tirant sa barbe pointue, il répond avec une vanité discrète, comme son talent gris.

— Pas mal..., comme les autres.

— Parlez-moi de votre dénouement.

Léon apprécie en moi une auditrice complaisante facilement intéressée, et qui, elle du moins, prend goût, si peu que ce soit, au récit de ces adultères du grand monde, de ces nobles suicides, de ces faillites princières...

— Il ne se présente pas très bien, soupire mon pauvre beau-frère. Le mari a repris sa femme, mais elle a tâté de la liberté, et piétine, et flaire le vent. Si elle reste, ça sera plus littéraire; mais, comme dit Marthe, ça sera plus de vente, si elle refiche le camp...

Léon a gardé, du journaliste d'autrefois, quelques vilains mots qui me choquent.

— Enfin, résumé-je, elle voudrait s'en aller?

— Dame!...

— Eh bien, il faut qu'elle parte...

— Pourquoi?

— Puisqu'elle a « tâté de la liberté »...

Léon rit mollement, tout en comptant ses pages...

— C'est drôle de vous entendre dire ça, à vous... Marthe vous attend au Fritz, ajoute-t-il en reprenant sa plume. Vous ne m'en voudrez pas de vous renvoyer, ma petite? Je dois livrer ça en octobre, alors...

Son geste montre le tas, encore mince, des feuillets noircis.

— Travaillez, mon pauvre Léon.

— Place Vendôme, Charles!

Marthe s'est acoquinée à ces thés de cinq heures du Fritz. Comme je préfère mon petit Afternoon Tea de la rue d'Indy, la salle basse qui fleure le

cake et le gingembre, son public de vieilles Anglaises à rangs de perles fausses, mêlé de demi-mon-
daines en rendez-vous discret...

Mais Marthe chérit, au Fritz, la longue galerie
blanche qu'elle traverse avec un air myope de
chercher quelqu'un, comme si ses menaçants yeux
gris n'avaient pas, dès le seuil, compté et jaugé
l'assistance, les têtes qu'elle retrouve et qu'elle
surveille, les chapeaux qu'elle copiera à la maison,
d'une main infaillible...

Quelle vilaine humeur est la mienne! Voici que
je pense presque mal de ma belle-sœur, en la
compagnie de qui pourtant je me réchauffe et me
distrais, depuis le départ d'Alain... La vérité, c'est
que je tremble chaque fois qu'il me faut traverser
seule cette redoutable galerie du Fritz, sous les
regards de ces luncheurs, ardents surtout à dévorer
leur prochain.

Cette fois encore, je me jette en avant, avec le
courage des timides, je longe à grands pas le hall
rectangulaire, en songeant, affolée : « Je vais me
prendre le pied dans ma robe, ma cheville va
tourner... ma fermeture bâille peut-être, j'ai une
mèche dans le cou... », si bien que je passe droit
devant Marthe sans la voir.

Elle me rattrape par la béquille de son ombrelle,
et rit si haut que je pense mourir de confusion :

— Après qui cours-tu, Annie? tu as l'air d'une
femme à son premier rendez-vous. Là, assieds-toi,

donne ton ombrelle, ôte tes gants... Ouf! te voilà
sauvée encore une fois! Pas trop mal pour une
suppliciée, cette petite figure-là; l'épouvante te
sied. Qui fuyais-tu?

— Tout le monde.

Elle me considère avec un dédain apitoyé et
soupire :

— J'ai bien peur de ne jamais rien faire de toi.
Aimes-tu mon chapeau?

— Oui.

J'ai répondu « oui », de confiance.

Toute à me remettre, je n'avais pas regardé
Marthe. Son chapeau, c'est peut-être un chapeau
en effet, cette Charlotte Corday de mousseline tombant en plissés autour de la figure? En tout cas,
c'est réussi. La robe en linon, l'inévitable fichu qui
dégage le cou laiteux, complètent un joli traves-
tissement 1793. C'est toujours Marie-Antoinette,
mais déjà au Temple. Jamais je n'oserais sortir
ainsi déguisée!

A l'aise dans son succès, elle darde autour d'elle
ses yeux insoutenables que peu d'hommes af-
frontent; elle croque allégrement ses rôties, regarde, parle, me rassure et m'étourdit.

— Tu viens de la maison?

— Oui.

— Tu as vu Léon?

— Oui.

— Il travaillait?

— Oui.

— Y a pas, faut qu'il livre en octobre, j'ai des factures sérieuses... Des nouvelles d'Alain?

— Un télégramme... il m'annonce une lettre.

— Tu sais que nous partons dans cinq jours?

— Comme tu voudras, Marthe.

— « Comme tu voudras! » Dieu, que tu es fatigante, ma pauvre amie! Regarde vite, voilà la Rose-Chou. Son chapeau est raté!

Le chapitre des chapeaux tient une place considérable dans l'existence de ma belle-sœur. D'ailleurs, c'est vrai, le chapeau de la Rose-Chou (une belle et fraîche créature, un peu trop épanouie, qui n'a pas, comme dit Claudine, inventé le volant en forme), le chapeau de la Rose-Chou est raté.

Marthe frétille de joie.

— Et elle veut nous faire croire qu'elle se ruine en Reboux! La Chessenet, sa meilleure amie, m'a raconté que la Rose-Chou découd tous les fonds de chapeaux chic de sa belle-mère, pour les coller dans les siens.

— Tu le crois?

— Il faut d'abord admettre le mal, d'emblée, on a toujours le temps de s'informer, après... Quelle chance! Voilà Renaud-Claudine, on va les appeler ici. Maugis est avec eux.

— Mais, Marthe...

— Mais quoi?

— Alain n'aime pas que nous fréquentions trop les Renaud-Claudine...

— Je sais bien.

— Alors, je ne dois pas...

— Puisqu'il n'est pas là, ton mari, laisse donc... c'est moi qui t'invite, ta responsabilité est à couvert.

Après tout, puisque c'est Marthe qui m'invite... O mon Emploi-du-Temps! je saurai me faire pardonner.

Claudine nous a vues. A trois pas, elle lance, pour Marthe, un vibrant « Salut, Casque-d'Or! » qui fait retourner les têtes.

Renaud la suit, indulgent à toutes ses folies, et Maugis ferme la marche. Je n'aime pas beaucoup ce Maugis, mais je supporte, parfois amusée, son effronterie d'alcoolique souriant. Je n'en dirai rien à Alain qui professe pour ce gros débraillé coiffé d'un haut-de-forme à bords plats un dégoût d'homme sobre et correct.

Marthe s'agite comme une poule blanche.

— Claudine, vous prenez du thé?

— Bouac, pas de thé! Ça me rebute.

— Du chocolat?

— Non... je voudrais du vin à douze sous le litre.

— Du... quoi? demandé-je ébahie.

— Chut, Claudine! gronde doucement Renaud, qui sourit sous sa moustache blanchissante, tu vas scandaliser madame Samzun.

— Pourquoi? s'étonne Claudine. C'est pas sale, du vin à douze sous le...

— Pas ici, ma petite fille, nous irons en boire tous les deux, tous les deux seuls, accoudés sur le zinc du troquet, filou mais cordial, de l'avenue Trudaine. Es-tu contente (il laisse tomber sa voix), mon oiseau chéri?

— Oui, oui! Oh! que j'ai du goût! crie l'incorrigible.

Elle contemple son mari avec tant de puéril enthousiasme, tant d'admiration enamourée, qu'une étouffante envie de pleurer me suffoque soudain. Si j'avais demandé à Alain du vin à douze sous le litre, il m'aurait donné... la permission de me mettre au lit et de prendre du bromure!

Maugis penche vers moi sa moustache oxydée par les alcools cosmopolites :

— Vous semblez, Madame, en proie à quelques remords de ce thé tiède, de ces éclairs vomitivement chocolateux... Ce n'est point au Fritz que vous dégoterez le cordial nécessaire. Les liquides, ici, indisposeraient la clientèle du plus infime cantinier de fantabosses... Le claret à soixante centimes préconisé par madame Claudine ne m'excite, lui non plus, qu'à sourire... une jolie verte, v'là ce qu'il vous faudrait.

— Une jolie quoi?

— Disons une bleue, si ça vous chante davantage. Un pernod d'enfant. Je préside un syndicat féministe : « Le Droit à l'absinthe ». Ce que les adhérentes rappliquent, c'est rien de le dire.

— Je n'ai jamais bu de ça, dis-je avec un peu de dégoût.

— Oh! s'écrie Claudine, il y a tant de choses,

sage Annie, auxquelles vous n'avez jamais goûté!...

L'intention qu'elle glisse sous cette phrase me rend sotte et embarrassée. Elle rit et regarde Marthe, qui répond à son coup d'œil goguenard :

— Nous comptons beaucoup, pour la former, sur « la vie facile et relâchée des villes d'eaux », ainsi que l'on s'exprime dans le dernier roman de Léon.

— Dans *Un Drame du cœur*? s'empresse Maugis, une œuvre puissante, Madame, et qui restera. Les affres d'un amour maudit mais aristocratique y sont peintes en traits de feu, d'une plume trempée dans le fiel!...

Comment, Marthe pouffe! Ils sont là tous quatre, à railler le malheureux qui, là-bas, lime ses soixante lignes quotidiennes... Je suis gênée, effarouchée, amusée à mon corps défendant; j'étudie le fond de ma tasse, puis je lève furtivement les yeux sur Claudine, qui, justement, me regardait, et qui murmure à son mari, tout bas, comme pour elle-même :

— Cette Annie, quels yeux merveilleux elle a, n'est-ce pas, mon cher grand? Des fleurs de chicorée sauvage, écloses sur un sable brun...

— Oui, complète Renaud..., quand elle lève ses paupières, on dirait qu'elle se déshabille.

Tous quatre me dévisagent, avec une expression lointaine... Je souffre à crier, je souffre d'un plaisir affreux, comme si ma robe fût tout d'un coup tombée.

La première, Marthe se secoue, change la conversation :

— Quand venez-vous là-bas, Renaud-Claudine?

— Où, ma chère?

— A Arriège, ça va sans dire. Maintenant, hélas, tout bon Parisien a dans la peau un arthritique qui sommeille...

— Le mien a des insomnies, fait Maugis, doctoral. Je le douche au whisky. Mais vous, dame Marthe, c'est du chichi, vos cures, histoire de suivre la mode.

— Pas du tout, insolent que vous êtes! Je vais à Arriège très sérieusement, et ces vingt-huit jours de traitement me permettent, l'hiver, de manger des truffes, de boire du bourgogne, et de me coucher à trois heures du matin... A propos, c'est bien mardi prochain qu'on pèlerine tous à la soirée Lalcade? Ça sera plus gai qu'Arriège.

— Oui, répond Claudine. Ça sera plein de ducs, avec des princes « entre-mi ». Vous iriez sur les mains, pas, Marthe?

— Je le pourrais, réplique Marthe un peu pincée, mes dessous sont assez soignés pour ça...

— Et puis, ronchonne Maugis, dans sa moustache, elle porte des pantalons fermés.

J'ai entendu. Nous avons tous entendu!

Un petit froid.

— Et vous, la pensive? questionne Claudine, arriégez-vous?

C'est moi la pensive... Je sursaute... J'étais déjà
loin.

— Moi, je suivrai Marthe et Léon.

— Et moi, je suivrai Renaud, pour qu'il ne
suive pas d'autres jupons (c'est pour rire, mon
beau!). On va se retrouver là-bas, veine! Je vous
regarderai boire de l'eau qui sent le vieux œuf,
et je pourrai connaître, vos grimaces comparées,
les respectifs stoïcismes de vos âmes. Vous en ferez
une tête à la buvette, vous, vieux bidon de Maugis!

Ils rient, et moi je songe, angoissée, à la figure
d'Alain, s'il entrait tout à coup, et m'apercevait
en si incorrecte compagnie. Car enfin, la présence
de Marthe ne sauve pas tout, et l'intimité n'est
vraiment pas possible avec cette toquée de Claudine qui traite les gens de « vieux bidon ».

— Je n'irai pas chez madame Lalcade, Alain.

— Vous irez, Annie.

— Je serai si seule, si triste de votre départ...

— Si triste... ma modestie ne veut pas discuter.
Mais non pas seule. Marthe et Léon vous accom-
pagneront.

— Ce sera comme vous voudrez.

— Comprenez donc un peu les choses, ma chère
enfant, et ne regardez pas comme une corvée tout
ce que je vous conseille d'utile. Cette soirée de

madame Lalcade comptera comme une... une ma-
nifestation d'art et votre absence réjouirait de
méchantes gens... Ne négligez pas cette maison aimable, la seule peut-être où les gens du monde
frôlent sans risque tout un lot d'artistes intéres-
sants... Si vous saviez un peu plus vous mettre en
avant, vous pourriez peut-être vous faire présenter
à la comtesse Greffulhe...

— Ah?

— Mais je ne compte guère que, surtout sans
moi, vous vous fassiez valoir... Enfin!...

— Comment faudra-t-il être habillée?

— Votre robe blanche, à ceinture de fronces serrées, me semble indiquée. Une grande simplicité,
ce soir-là, Annie. Vous verrez chez madame Lalcade un petit excès de coiffures Gismonda, de
robes Laparcerie... Que rien, dans votre parure,
n'autorise une confusion... Restez telle que vous
voici, réservée, le geste simple; il ne faut rien
ajouter, rien changer. N'est-ce pas un beau compliment que je vous fais?

Un très beau, à coup sûr, et j'en ai senti tout
le prix.

Il y a presque deux semaines de cela, et j'entends encore toutes les paroles d'Alain, sa voix
qui n'hésite jamais.

Je mettrai, ce soir, ma robe blanche, j'écouterai
chez madame Lalcade la triste et frivole musique
de Fauré, que vont mimer des travestis... Je songe

à la joie de Marthe qui remplace, presque au pied
levé, une jolie marquise enrhumée... En quarante-
huit heures, ma belle-sœur a chiffonné des soies
changeantes, essayé un « corps » baleiné, consulté
des estampes et des coiffeurs, répété un rigaudon...

— Que de monde, Léon!

— Oui. J'ai reconnu l'équipage des Voronsoff,
des Gourkau, des... Ayez l'obligeance, Annie, de
me boutonner mon gant...

— Qu'ils sont étroits, vos gants!

— C'est une erreur, Annie. Ils sont neufs seulement. La gantière me dit toujours : « Monsieur
a une main qui fond... »

Je ne souris même pas de sa puérilité. Coquet
de sa main et de son pied, mon pauvre beau-frère
endure mille petits supplices, mais ne cède pas
un quart de pointure à ses doigts meurtris...

Un tel flot de manteaux clairs déborde, par la
porte de la serre-vestiaire, jusque dans le jardin,
que la crainte et l'espoir de n'y pouvoir pénétrer
m'agitent une minute... D'un coude insinuant,
Léon me fraie un lent passage. Evidemment, j'en-
trerai, mais ma robe périra... Un coin de miroir,
de grâce, car il me semble bien que mon lourd
catogan se délie... Entre deux somptueux paquets,
je mire un morceau de moi-même : mince, brune
comme une fille de couleur, c'est Annie, et la
douceur, soumise jusqu'à sembler traîtresse, de ses
yeux aussi bleus que la flamme du gaz en veil-
leuse.

— Ça va bien, ça va bien. Très en forme, ce soir, l'enfant battue!

Le miroir reflète à présent, tout près de la mienne, la silhouette nerveuse de Claudine, le décolletage en pointe aiguë de sa robe jaune qui ondule comme une flamme...

Je me retourne pour lui demander, assez sottement :

— Je viens de perdre Léon... Vous ne l'avez pas vu?

La diablesse jaune éclate de rire :

— Je ne l'ai pas sur moi, ma pure vérité! Vous y teniez vraiment?

— A quoi?

— A votre beau-frère?

— C'est que... Marthe figure ce soir, et je n'ai que lui.

— Il est peut-être mort, dit Claudine avec un sérieux macabre. Ça n'a aucune importance. Je vous chaperonnerai aussi bien. On s'assoira, on regardera les épaules huileuses des vieilles dames, on cognera dessus si elles parlent pendant la musique, et je mangerai toutes les fraises du buffet!

L'alléchant programme (ou l'autorité irrésistible de Claudine?) me décide. Je fais, tête basse, mon premier pas dans l'atelier où peint et reçoit madame Lalcade. Il ruisselle de fleurs...

— Elle a invité tous ses modèles, chuchote ma compagne.

... Il étincelle de femmes, si serrées que leurs

têtes seules virent et penchent, à chaque entrée
sensationnelle, comme un champ de lourds pavots
sous le vent...

— Jamais nous ne nous assoirons là-dedans,
Claudine!

— Pardi, vous allez voir ça!

Le souriant sans-gêne de Claudine ne connaît
point l'insuccès. Elle conquiert une demi-chaise,
y frétille des reins jusqu'à invasion complète, et
m'installe, Dieu sait comment, à côté d'elle.

— Là! Aga le joli rideau de scène à guirlandes!
Oh! que j'aime tout ce qu'on ne voit pas derrière!
Aga aussi Valentine Chessenet en rouge, et ses
yeux de lapin, en rouge également... Vrai, Marthe
a un rôle? Aga encore, Annie, madame Lalcade
qui nous dit bonjour par-dessus cinquante-trois
dames. Bonjour, Madame! Bonjour, Madame! Oui,
oui, nous sommes très bien. Les trois quarts de nos
séants ont de quoi reposer leur tête.

— On va vous entendre, Claudine!

— Qu'on m'entende! réplique la redoutable petite créature. Je ne dis rien de vilain, mon cœur
est pur et je me lave tous les jours. Ainsi! Bonjour, grosse panse de Maugis! Il vient pour voir
Marthe décolletée jusqu'à l'âme, et peut-être aussi
pour la musique... Oh! que la Rose-Chou est belle,
ce soir! Je vous défie, Annie, de distinguer à trois
pas la fin de sa peau et le commencement de sa
robe rose. Et quelle viande saine et abondante!
A quatre sous la livre, il y en a au moins pour

cent mille francs! Non, ne cherchez pas combien ça fait de kilos... Voilà Renaud, là-bas, dans la porte.

Sans qu'elle s'en doute, tout de suite, sa voix s'est adoucie.

— Je ne vois rien.

— Moi non plus, qu'une pointe de moustache, mais je sais que c'est la sienne.

Oui, elle sait que c'est lui. Petit animal aimant et fougueux, elle le flaire à travers tant de parfums, tant de chaleurs, tant d'haleines... Ah! que leur amour me rend triste, chaque fois!

L'électricité meurt brusquement, et l'enragé papotage aussi après ce *ah!* de surprise vulgaire qui jaillit de la foule, à la première fusée du Quatorze Juillet... Sur la scène, toujours close, pleuvent déjà les gouttes des harpes, nasillent les mandolines égratignées : « Oh! les filles. Venez, les filles... » et le rideau s'ouvre lentement...

— Oh! que j'ai du goût, murmure Claudine ravie.

Sur la grisaille d'un fond de parc, Aminte, Tircis et Clitandre, et Cydalise, et l'Abbé, et l'Ingénue, et le Roué, gisent et s'alanguissent, comme revenus de Cythère. L'escarpolette balance à peine, sous le poids léger d'une bergère en panier, vers qui tendent les vœux du berger zinzolin. Une belle feuillette l'album de musique et se penche trop pour suivre la molle chanson qu'esquissent les doigts énervés de l'amant... Rêveurs désabusés, musique incrédule et souriante, tout cet enchantement fuit, trop tôt, devant les allègres accords qui annoncent le rigaudon.

— Quel dommage! soupire Claudine.

Des couples graves, en habits changeants, paradent, pirouettent et saluent. La dernière marquise, tout en argent glacé, au bras d'un marquis bleu céleste, c'est Marthe, éclatante, qu'un murmure admirant salue et que je reconnais à peine. La volonté d'être belle la transfigure. Le roux de ses cheveux brille çà et là, feu mal éteint sous cette cendre de poudre. Les yeux ardents pâlis par le maquillage, la gorge en pommes découverte jusqu'à l'impossible, elle pivote, sérieuse, sur de périlleux talons pointus, plonge en révérences, lève sa petite main fardée et darde sur le public, l'instant d'une pirouette, son plus terrible regard de Ninon anarchiste... Sans beauté réelle, sans grâce profonde, Marthe éclipse toutes les jolies créatures qui dansent à ses côtés.

Elle a *voulu* être la plus belle... Que je veuille une pareille chose, moi... Pauvre Annie! Là musique pompeuse et triste te raille, t'amollit, t'étreint jusqu'aux larmes; et tu gâtes ton émotion en te retenant de pleurer, en songeant à l'invasion proche et cruelle de la lumière, aux regards avisés de Claudine...

Ma très chère Annie,

Votre lettre m'arrive bien juste avant l'embarquement, et vous n'accuserez, de la brièveté de celle-ci, que la hâte du départ. J'ai plaisir à vous savoir si brave, si attachée à tout ce qui fait la vie d'une femme simple et de bon monde : votre mari, votre famille, votre joli logis net et bien ordonné.

Car il me semble que je puis, que je dois, de loin, vous faire les compliments que je retiens auprès de vous. Ne m'en remerciez pas, Annie, c'est un peu mon œuvre que j'admire : une aimable enfant, façonnée peu à peu et sans grande peine, en jeune femme irréprochable, en ménagère accomplie.

Le temps est magnifique; nous pouvons compter sur une traversée parfaite. Vous pouvez donc espérer que les choses iront normalement, jusqu'à Buenos Ayres. Vous savez que j'ai une belle santé et que le soleil ne me fait pas peur. Ainsi, ne vous énervez pas si les courriers sont rares et irréguliers. Je me contraindrai moi-même à ne point trop attendre vos lettres, qui me seront pourtant bien précieuses.

Je vous embrasse, ma chère Annie, de toute mon affection inébranlable. Je sais que vous ne sourirez pas de ma formule un peu solennelle, le sentiment qui m'attache à vous n'a rien de frivole.

Votre

Alain SAMZUN.

L'index sur une tempe qui bat, j'ai lu sa lettre péniblement. Car me voici en proie une fois de plus, à cette migraine terrassante, qui, presque périodiquement, me désespère. Les mâchoires contractées, l'œil gauche clos, j'écoute dans ma pauvre cervelle un marteau incessant. A chaque heurt mes paupières tressaillent. Le jour me blesse, l'obscurité m'étouffe.

Autrefois, chez grand-mère, je respirais de l'éther jusqu'à l'insensibilité, mais, aux premiers mois de notre mariage, Alain m'a trouvée un jour à demi pâmée sur mon lit, un flacon serré dans ma main, et il m'a interdit de recommencer. Il m'a parlé très sérieusement, très clairement, des dangers de l'éther, de l'horreur qu'il professe pour ces « remèdes d'hystérique », de l'innocuité, en somme, des migraines : « toutes les femmes en ont! » Depuis, je me laisse souffrir avec le plus de patience que je puis, me bornant, sans succès, aux compresses bouillantes et à l'hydrothérapie générale.

Mais aujourd'hui, je souffre si fort que j'ai envie de pleurer, et que la vue de certains objets blancs, feuille de papier, table laquée, draps du lit ouvert où je me suis étendue, me donne la contraction de gorge, la nausée nerveuse que je connais bien et que je redoute. La lettre d'Alain — tant espérée pourtant! — je la trouve froide, incolore, il faut que mon mal soit bien méchant... Je la relirai plus tard...

Léonie entre. Elle prend beaucoup de soin pour ne pas faire de bruit : elle ouvre la porte très dou-

cement et la referme rudement, l'intention du
moins est méritoire.

— Madame a toujours mal?

— Oui, Léonie...

— Pourquoi que Madame ne prend pas...

— Un verre de cognac? non, merci.

— Non, Madame, mais un peu d'éther.

— Monsieur n'aime pas que je me drogue,
Léonie; l'éther ne me vaut rien.

— C'est Monsieur qui fait croire ça à Madame,
que ça peut faire mal à Madame, mais pour connaître quelque chose aux misères des femmes, ne
me parlez pas d'un homme. Moi, je prends toujours de l'éther quand la névralgie me tient.

— Ah! vous... vous en avez ici?

— Un flacon tout neuf. Je vais le chercher à
Madame.

La divine odeur puissante détend mes nerfs. Je
m'allonge sur mon lit, le flacon sous mes narines,
je pleure des larmes de faiblesse et de plaisir. Le
méchant forgeron s'éloigne, ce n'est plus maintenant qu'un doigt qui frappe ma tempe, discret,
cotonneux. Je respire si fort que mon gosier est
tout sucré..., mes poignets sont lourds.

Des rêves vagues qui passent, tous barrés d'une
ligne de lumière : celle qui filtre entre mes paupières à demi fermées. Je vois Alain, dans un costume de tennis qu'il portait il y a huit ans, un été,
un maillot blanc que sa chair teintait de rose...
Je suis moi-même la toute jeune Annie d'alors,

avec ma natte lourde que terminait une boucle
molle... Je touche ce doux maillot rosé, qui
m'émeut autant qu'une peau vivante, tiède comme
la mienne, et je me dis confusément qu'Alain est
un petit garçon, que cela n'a pas d'importance, pas
d'importance, pas d'importance... Il est passif et
vibrant, il abaisse sur ses joues enflammées de
longs cils noirs qui sont ceux d'Annie... Comme,
sous le doigt, cette peau est veloutée! Pas d'importance... pas d'importance...

Mais une balle de tennis vient me frapper durement la tempe, et je la saisis au vol, blanche,
tiède..., une voix nasillarde déclare, tout près de
moi : « C'est un œuf de coq. » Je n'en suis point
surprise, puisque Alain est un coq, un coq rouge
au fond des assiettes. Il gratte d'une patte arrogante la faïence qui crisse à rendre fou, et chante :
« Moi, moi, je... » Qu'est-ce qu'il dit? je n'ai pas
pu entendre. La barre de lumière gris bleu le
coupe en deux, comme un sautoir de Président de
la République, puis c'est le noir, le noir, une
mort délicieuse, une chute lente que soutiennent
des ailes...

Une vilaine action, une vilaine action, oui, Annie, cela ne peut s'appeler autrement! Une déso-
béissance, et réfléchie, et complète, à la volonté
d'Alain. Il a raison de me défendre cet éther qui
me rend irresponsable... Je m'accuse en toute humilité deux heures après, seule avec mon image,
assise à ma coiffeuse où je lisse et renoue mes che-

veux défaits. Ma tête est libre, vide et claire. Les yeux cernés, la bouche pâlie, l'inappétence, malgré mon jeûne d'un jour, accusent seuls ma débauche du poison aimé. Pouah! la vapeur refroidie et passée de l'éther colle aux rideaux; il faut de l'air, de l'oubli — si je puis...

Ma fenêtre, au second étage, s'ouvre sur un triste horizon : la cour étroite, le cheval d'Alain qu'on panse, un gros palefrenier en chemise à carreaux. Au bruit de ma fenêtre, un bull noir assis sur le pavé lève son museau carré... Comment c'est toi, mon pauvre Toby! Toi l'exilé, toi le honni! Il est debout, petit et sombre, et agite vers moi le souvenir de sa queue coupée.

— Toby! Toby!

Il saute, il gémit en sifflant. Je me penche.

— Charles, envoyez-moi Toby par l'escalier de service, s'il vous plaît.

Toby a compris avant lui et s'élance. Une minute encore et le pauvre bull noir est à mes pieds, convulsif, délirant d'humilité et de tendresse, la langue et les yeux hors de la tête...

Je l'avais acheté, l'an dernier, à un homme d'écurie de Jacques Delavalise, parce que c'était vraiment un beau petit bull de huit mois, pas équarri, sans nez, des yeux limpides et un peu bridés, des oreilles comme des cornets acoustiques. Et je l'avais ramené à la maison, assez fière, un peu craintive. Alain l'examina en connaisseur, sans malveillance.

— Cent francs, dites-vous? Ce n'est pas cher. Le cocher sera content, les rats détruisent tout dans l'écurie.

— Dans l'écurie! Mais je ne l'avais pas acheté pour cela. Il est joli, je voudrais le garder pour moi, Alain...

Haussant les épaules :

— Pour vous? Un bull d'écurie dans un salon Louis XV, n'est-ce pas? ou sur les dentelles de votre lit? Si vous tenez à un chien, ma chère enfant, je vous chercherai un petit havanais en soie floche, pour le salon, ou encore un grand sloughi... les sloughis vont avec tous les styles.

Il a sonné et désigné à Jules mon pauvre Toby noir qui mâchait ingénument un gland de fauteuil :

— Portez ce chien à Charles, qu'il lui achète un collier, qu'il le tienne propre, et qu'il me dise s'il tue bien le rat. Le chien s'appelle Toby.

Depuis, je n'ai revu Toby que par la fenêtre. Je l'ai vu souffrir et penser à moi, car nous nous étions aimés à première vue.

Un jour, j'ai gardé de petits os de pigeon et les lui ai portés dans la cour, en me cachant. Je suis rentrée le cœur gros, avec un malaise que j'ai cru dissiper en avouant à Alain ma faiblesse. Il ne me gronda presque pas.

— Etes-vous enfant, Annie! Si vous voulez, je dirai à Charles qu'il prenne quelquefois le bull avec lui, sous le siège, quand vous sortirez. Mais

que je ne rencontre jamais Toby dans l'appartement, jamais, n'est-ce pas? vous m'obligerez beaucoup.

Aujourd'hui, il ne me suffirait pas, pour m'allé-
ger de tout souci, disons franchement : de tout
remords, d'avouer à Alain la présence de Toby
dans ma chambre à coucher. Ceci, qui m'eût fait
trembler, la semaine passée, est une vétille auprès
de mon ivresse d'éther, coupable et délicieuse.

Dors sur le tapis à roses grises, Toby noir, dors
avec de grands soupirs de bête émue : tu ne re-
tourneras pas à l'écurie.

ARRIÈGE.

Une odeur d'orangers en fleur et de bain de ba-
rège monte par ma fenêtre ouverte. « L'odeur locale », m'explique obligeamment le garçon qui
monte les malles. Je m'en doutais. Marthe m'assure qu'on s'y habitue en quarante-huit heures.
A celle des orangers fleuris, plantés en haie devant
l'hôtel, d'accord. Mais l'autre, la senteur sulfureuse
qui poisse la peau, horreur!

Je m'accoude, déjà découragée, pendant que
Léonie, à qui son feutre de voyage donne l'air d'un
gendarme en civil, ouvre ma grande malle en
paille de bois, et dispose les bibelots d'argent de
mon sac comme pour la parade.

Que suis-je venue faire ici? Je me sentais moins
seule à Paris, dans ma chambre jaune, auprès du
portrait d'Alain, qu'entre ces quatre murs de chaux
rose à soubassement gris. Un lit de cuivre dont
j'inspecte, soupçonneuse, la literie fatiguée. Une
toilette trop petite, une table à écrire que je convertirai en table à coiffer, une table pliante, mon-

tée sur X, que je convertirai en table à écrire, des fauteuils quelconques et des chaises ripolinées... Il faudra vivre là-dedans combien de jours? Marthe a dit « Ça dépend ».

Ça dépend de quoi? Je n'ai pas osé l'interroger davantage.

J'entends, de l'autre côté du corridor dallé, sa voix perçante et les répliques sourdes de Léon, qui ne me parviennent pas, mettent du vide entre les phrases. Je m'engourdis, isolée de tout, du lieu où je suis, de Marthe, d'Alain, de l'avenir pénible, du temps qui coule...

— On descend, Annie?

— Ah! Marthe! tu m'as fait peur! Mais je ne suis pas prête.

— Qu'est-ce que tu fabriques, grands dieux? Ni lavée, ni coiffée? Je t'en prie, ne commence pas à faire le « poids mort ».

Ma belle-sœur est pomponnée comme pour le Fritz, fraîche, maquillée et rose. Les onze heures de chemin de fer lui sont clémentes. Elle déclare qu'elle « veut aller à la musique » qui joue dans le parc.

— Je vais me dépêcher. Et Léon?

— Il lave son corps divin. Allons, Annie, ouste! Qu'est-ce qui t'arrête?

J'hésite, en corset et en jupon, à me déshabiller si complètement devant Marthe. Elle me regarde comme un animal rare.

— O Annie, sainte Annie, il n'y a pas deux

poires comme vous! Je tourne le dos, étrille tes charmes sans angoisse.

Elle s'en va à la fenêtre. Mais la chambre elle-même me gêne, et je me vois dans la glace, brune et longue comme une datte... Marthe, effrontée et brusque, fait volte-face. Je crie, je colle mes bras à mes flancs mouillés, je me tords et je supplie... Elle ne semble pas m'entendre, et braque curieusement son face-à-main

— Drôle de créature! Tu n'es pas d'ici, évidemment. Tu as l'air d'une bonne femme des mosaïques d'Egypte... ou d'un serpent debout... ou d'une jarre en grès fin... Stupéfiant! Annie, tu ne m'ôteras pas de l'idée que ta mère a fauté avec un ânier des Pyramides.

— Je t'en prie, Marthe! Tu sais bien que ces plaisanteries-là me choquent à un point...

— On le sait. Attrape ta chemise, grande sotte! A ton âge faire la pensionnaire comme ça!... Moi, j'irais toute nue devant trois mille personnes, si c'était la mode. Dire qu'on cache toujours ce qu'on a de mieux!

— Oui? Madame Chessenet ne serait sûrement pas de ton avis!

— Savoir! (Tu ne l'aimes pas? Ça m'amuse.) Elle doit porter des seins dernier cri, en étole, les pans jusqu'aux genoux.

Cette présence bavarde tonifie ma paresse, finit pas chasser ma pudeur bébête. Et Marthe a le don de se faire pardonner presque tout.

Je noue ma cravate de tulle blanc devant la glace, tandis que Marthe, penchée à la fenêtre, me décrit ce qui se passe sous ses yeux :

— Je vois, oh! je vois des bonnes balles... je vois Léon qui nous cherche avec des airs de caniche perdu... il nous croit à la musique, bon débarras!

— Pourquoi?

— Crainte qu'il me rase, tiens! Je vois une dame renversante, toute en valenciennes, mais une binette ridée de vieille reinette... Je vois des dos idiots d'hommes en panamas pétris comme des meringues ratées... Je vois... ah!

— Quoi?

— Hep, hep! eh bien, c'est pas malheureux! oui, oui, c'est nous, montez!

— Tu es folle, Marthe! Tout le monde te regarde. A qui en as-tu?

— A la petite van Langendonck.

— Calliope?

— Elle-même!

— Elle est ici?

— Probable, puisque je l'appelle.

Je fronce involontairement les sourcils : encore une relation qu'Alain désirerait couper, et qu'il tient à longue distance; non que cette petite Cypriote, veuve d'un Wallon, fasse parler d'elle autant qu'une Chessenet; mais mon mari lui reproche une beauté voyante et pâmée qu'il ne trouve pas de bon ton. Je ne savais pas qu'il y eût pour la beauté un code de convenances... mais Alain l'affirme.

Calliope van Langendonck, dite « la Déesse aux yeux pers », annoncée par un murmure élégant d'étoffes, effectue une entrée théâtrale, accable Marthe de baisers, de paroles, de dentelles traînantes, de regards lazuli, glissant entre des paupières armées de cils brillants comme des lances — puis s'abat sur moi. J'ai honte de me sentir si peu expansive, et je lui offre un fauteuil. Marthe la larde déjà de questions :

— Calliope, quel est le ponte fortuné que vous remorquez ici cette année?

— What is it ponte? ah! oui... Pas dé ponté, jé suis toute seule.

Elle répète souvent les phrases qu'on vient de dire, avec un air câlin de s'écouter et de traduire. Est-ce coquetterie, ou ruse pour se donner le temps de choisir sa réponse?

Je me souviens que cet hiver elle mêlait le grec, l'italien, l'anglais et le français, avec une ingénuité trop complète pour être sincère. Son « babélisme » ainsi que dit Claudine, qu'elle amuse à la folie, son charabia soigneusement cultivé retient l'attention comme un charme de plus.

— Seule? Racontez ça à d'autres!

— Si! il faut soigner deux mois par anno, pour rester belle.

— Ça lui réussit jusqu'à présent, pas, Annie?

— Oh! oui. Vous n'avez jamais été plus jolie,

Calliope. Les eaux d'Arriège vous font du bien,
n'est-ce pas?

— Les eaux? Je prends never,... jamais...

— Alors, pourquoi...

— Parce que l'altitude est excellent ici, et que
je rencontre gens que je connais, et que je peux
faire toilettes économiques.

— Femme admirable! Pourtant, le soufre, c'est
bon pour peau?

— Non, c'est kakon, movais pour peau. Je
soigne peau avec recette spéciale, turque.

— Dites vite, je pantelle, et je suis sûre qu'Annie n'a plus un fil de sec.

Calliope, qui a laissé tous ses « articles » dans
l'île de Chypre, écarte doctoralement des mains
scintillantes :

— Vous prenez... vieux boutons de gloves, en
nacre, vous mettez dans un avgothiki... coquetier...
et vous pressez citron tout entier dessus... Le lendemain, elle est en pâte...

— Qui, *elle?*

— Les boutons et le citron. Et vous étalez
sur figure, et vous êtes plus blanc, plus blanc,
que...

— Ne cherchez pas. Je vous remercie infini-
ment, Calliope...

— Je peux ancora donner recette pour détacher
lainages...

— Non, assez, bon Dieu, assez! Pas tout le même
jour!... Depuis quand êtes-vous à Arriège?

— Depuis... un, due, three... sept jours... Je suis si heurèse de vous voir! Je veux plus vous quitter. Quand vous avez appelé tout à coup par la wind... fenêtre, j'ai eu spavento et j'ai laissé drop mon ombrelle!...

Je suis désarmée. Devant ce polyglottisme déchaîné, Alain lui-même ne tiendrait pas son sérieux. Si cette légère créature peut me rendre courtes les longues heures de ma « saison » je la verrai tant qu'elle voudra — à Arriège.

Quel besoin avait Marthe de me traîner autour de ce kiosque à musique! J'en rapporte une étreignante migraine, et l'empreinte, presque physique, sur ma peau, de tous ces regards sur nous. Ces gens-là, baigneurs et buveurs d'Arriège, nous ont épluchées, dévorées, avec des yeux de cannibales. J'appréhende maladivement les potins, les espionnages et les délations de ces désœuvrés minés d'ennui. Heureusement, bien peu de visages connus, excepté la petite Langendonck. Les Renaud-Claudine arrivent dans trois jours, ils ont retenu leur appartement.

Triste chambre que celle-ci! L'électricité crue tombe du plafond sur mon lit vide et mort... Je me sens seule, seule, au point de pleurer, au point d'avoir retenu Léonie pour me décoiffer, afin de garder auprès de moi une présence familière... Viens, mon Toby noir, petit chien chaud et silencieux qui adores jusqu'à mon ombre, reste à mes pieds, tout fiévreux du long voyage, agité de cauchemars ingénus... Peut-être rêves-tu qu'on nous sépare encore?...

Ne crains pas, Toby, le maître sévère, il dort à présent sur l'eau sans couleur; car les heures de son coucher sont ordonnées comme toutes celles de sa vie... Il a remonté son chronomètre, il a couché son grand corps blanc, froid du tub glacial. Songe-t-il à Annie? Est-ce qu'il soupirera la nuit, est-ce qu'il s'éveillera dans le noir, le noir profond, que ses pupilles dilatées peupleront de lunules d'or et de roses processionnantes? S'il appelait, à cette minute même, son Annie docile, s'il cherchait son odeur de rose et d'œillet blanc, avec le sourire martyrisé de l'Alain que je n'ai vu et possédé qu'en songe? Mais non. Je le sentirais à travers l'air et la distance...

Couchons-nous, mon petit chien noir, Marthe joue au baccara.

Mon cher Alain,

Je m'accoutume à cette vie d'hôtel. C'est un effort qui, je l'espère, me sera compté par vous, de même que je vous fais honneur de chaque victoire remportée sur mon apathie.

Les journées me sont plus longues pourtant qu'aux baigneurs effectifs. Marthe, vaillante comme toujours, se soumet à un traitement très dur de douches et de massages. Léon boit seulement; moi je regarde.

*Nous avons rencontré ici madame van Langendonck,
qui est seule. Croyez, cher Alain, que je n'ai point re-
cherché cette rencontre. Marthe l'accueille bien et dit
que les amitiés de villes d'eaux se coupent à Paris le
plus aisément du monde. J'espère que vous voilà ras-
suré sur le superficiel de nos relations. Et d'ailleurs,
elle habite l'hôtel du Casino, tandis que nous logeons
au Grand-Hôtel.*

*Je crois aussi que les Renaud-Claudine débarquent
dans peu de jours. Il nous sera presque impossible de
ne pas les voir; il me semble d'ailleurs que vous consi-
dérez le mari comme acceptable, parce qu'il connaît
toute la terre. Quant à sa femme, nous aviserons à
agir au mieux, et pour cela je me fie à Marthe, qui
tient de vous un sens très fin de la décision opportune.*

*Je vous parle de nous, cher Alain. Vous m'avez dé-
fendu de vous importuner de ma sollicitude, inutile
mais si bien intentionnée! Sachez donc encore que
nous nous levons à sept heures moins le quart, qu'à
sept heures sonnantes nous sommes assises aux petites
tables de la laiterie. On trait devant nous un lait
mousseux et chaud, que nous buvons lentement en
regardant monter le brouillard que le soleil aspire.*

*Il faut bien déjeuner dès sept heures, car la douche
est à dix. On vient là au saut du lit sans prendre le
temps même d'une toilette sommaire. Ce petit lever
ne réussit pas à toutes les femmes, et j'admire comme
Marthe supporte cette épreuve Elle paraît enveloppée
de linons et de mousselines, en capuchons ruchés et
neigeux qui l'avantagent extrêmement*

*Votre Annie n'y déploie pas tant d'art; elle arrive
en jupe tailleur et en blouse de soie molle, et l'absence
de corset ne me change guère la taille. Ma natte de la*

nuit relevée en catogan par un ruban blanc, un cha-
peau paillasson en forme de cloche... voilà une tenue
qui ne fait pas émeute.

Après deux tasses de lait et autant de petits crois-
sants, promenade dans le parc, retour à l'hôtel pour
le courrier et la toilette — à dix heures, douche.
Marthe disparaît, et je reste seule jusqu'à midi. Je
flâne, je lis, je vous écris. Je cherche à m'imaginer
votre vie, votre cabine, l'odeur de la mer, le battement
de l'hélice...

Adieu, cher Alain, prenez bien soin de vous-même,
et de votre affection pour

ANNIE.

C'est tout ce que je trouve à lui écrire. Je me
suis interrompue vingt fois, une maladresse au
bout de ma plume... Quel mauvais esprit m'habite,
pour que j'écrive déjà « maladresse » là où il faudrait « franchise »?...

Mais pouvais-je écrire tout? Je crains, même, de
loin, la colère de mon mari, s'il apprend que je
vis côte à côte avec Calliope, avec Maugis arrivé
depuis trois jours et qui ne nous quitte guère...
Le train de 5 heures 10 amène demain Claudine
et son mari... Lâchement je me dis qu'un aveu
bien complet au retour d'Alain, me vaudra seulement un grand sermon. Il n'aura pas vu Calliope
à la laiterie le matin en « déshabillé galant » —
si déshabillé et si galant, que je détourne les yeux
pour lui parler — des tulles qui dégringolent, des
pelisses à fanfreluches qui bâillent sur la peau

dorée, et d'extraordinaires mantilles de blonde pour voiler les cheveux mal relevés. Hier matin, pourtant, elle arrive embobelinée dans un vaste cache-poussière, en soie glacée d'argent, si hermétique et si convenable que je m'étonne. Autour de nous les panamas et les casquettes à carreaux regrettent et cherchent les coins de peau ambrée.

Je lui fais compliment de sa correction. Elle éclate de son rire déchirant et s'écrie : « Je crois bien! C'est forcé! J'ai pas de chemise dessous! »

Je ne savais où me mettre. Les casquettes et les panamas se sont penchés vers elle, d'un mouvement automatique de marionnettes qui saluent...

Heureusement, Calliope est seule. Seule? Hum! J'ai parfois, marchant auprès d'elle, croisé des messieurs très bien, qui se détournaient avec une discrétion si affectée, une indifférence si parfaite. Elle passait, roide dans sa petite taille, avec un coup de paupières en éventail, qu'elle a voulu m'apprendre, sans y réussir.

L'heure de la douche nous rapproche l'une de l'autre, en faisant le désert autour de nous. Léon, très déprimé ces temps-ci, vient s'asseoir souvent à notre table et risque des cravates déconcertantes, des gilets vifs qui vont bien à son teint mat. Il s'éloigne de quart d'heure en quart d'heure, pour les quatre verres d'eau; il tente un essai de cour littéraire auprès de Calliope. A mon grand étonnement, elle le reçoit avec un dédain un peu déguisé, un froid regard bleu tombant de haut qui signifie : « Que veut cet esclave? »

Il y a encore... Marthe. Oui, Marthe. Même pour écrire ceci, j'hésite... Ce Maugis la suit de trop près, et elle supporte sa présence comme si elle ne s'en apercevait pas. Je ne puis le croire. Les étincelants yeux gris de Marthe voient tout, écoutent tout, saisissent la pensée derrière les yeux qu'ils regardent. Comment n'arrache-t-elle pas sa petite main potelée et fine, aux lèvres de cet individu, qui lui disent, deux fois par jour, un bonjour et un adieu prolongés? Maugis sue l'alcool. Il est intelligent, d'accord, instruit sous sa blague à demi gâteuse; il tire l'épée, m'a dit Alain, d'un poignet redoutable que l'absinthe ne fait pas encore trembler. Mais... pouah!

Elle s'amuse, je veux l'espérer. Elle coquette pour le plaisir de voir les yeux globuleux de son adorateur s'injecter et s'attendrir en la regardant. Elle s'amuse...

Je viens d'accompagner Marthe à sa douche. J'en tremble encore.

Dans une affreuse cabine de sapin brut, ruisselante de toutes ses parois, pénétrée de soufre et de vapeur d'eau, j'ai assisté, derrière un paravent de bois, au supplice sans nom qu'est cette douche-massage. En un tour de main, Marthe est nue. Je clignote devant tant de sans-gêne et de blancheur. Marthe est blanche comme Alain, avec plus de rose dessous. Sans un frisson de malaise, elle tourne vers moi une croupe effrontée, marquée de fossettes profondes, tandis qu'elle sangle autour de ses tempes un bonnet de caoutchouc, un serre-tête abominable, une façon de marmotte de poissarde.

Puis elle vire... et je reste frappée du caractère que prend cette jolie tête de femme, ainsi privée de ses cheveux ondés : des yeux aigus jusqu'à la folie, la mâchoire courte et solide, l'arcade sourcilière peuple et brutale, je cherche en vain la Marthe que je connais dans celle-ci qui me fait peur. Cette figure inquiétante rit au-dessus d'un corps mignon et gras, presque trop féminin, tout en excès de minceurs et de rondeurs...

— Annie, hep! tu dors debout?

— Non. Mais j'en ai déjà assez. Cette cabine, ce bonnet...

— Hein, Catherine, croyez-vous qu'elle est brave, ma petite belle-sœur? Si nous lui donnions à nous deux une bonne douche, à grand jet?

Je considère avec appréhension la créature sans sexe, en tablier ciré, juchée sur des socques de bois. Elle rit sur des gencives rouges.

— Si Madame veut se coucher... Le quart d'heure est déjà bien entamé.

— Voilà, voilà.

D'un bond, Marthe franchit le rebord d'une espèce de cercueil ouvert, incliné, que je n'avais pas vu d'abord et s'y étend, les mains sur les seins, pour les préserver du choc trop rude. Le jour d'en haut éclaire les veines de sa peau, sculpte les plis minces, touche brutalement à tout l'or roux qui moutonne sur elle... Je rougis dans l'ombre... Je n'aurais jamais cru Marthe si velue... Je rougis davantage, en songeant que sur le corps d'Alain fleurit la même abondance d'or rose comme du cuivre. Marthe attend en fermant les yeux, les coudes tremblants, et la créature sans sexe braque sur elle deux gros tubes de caoutchouc, qui pendent du plafond...

Des cris perçants, des clameurs suppliantes éclatent... Sous le jet froid, plus gros que mon poignet, qui tombe d'áplomb sur elle et se promène de la poitrine aux chevilles, Marthe se tord comme une chenille coupée, sanglote, grince, injurie, ou soupire — lorsque le jet bouillant succède au jet froid, adoucie, consolée.

La créature douche d'une main et claque de l'autre, claque sans pitié, d'une grande main solide, ce corps délicat qui se marbre de rouge brûlant.

Après cinq minutes de ce tourment effroyable, un grand peignoir chaud, une friction sèche, et Marthe, délivrée de l'odieux serre-tête, me regarde en haletant, de grosses larmes au coin des yeux.

D'une voix étranglée, je lui demande si c'est ainsi tous les matins.

— Tous les matins, mon petit. Hein! Claudine le déclarait l'an dernier : « Ça et le tremblement de terre, on n'a rien trouvé de mieux pour faire circuler le sang. »

— Oh! Marthe, c'est affreux! Ce jet plus rude

qu'un gourdin qui t'a fait pleurer, sangloter...
Quelle horreur!

A demi rhabillée, elle tourne vers moi un bizarre
sourire en coin, les narines encore battantes :

— Je ne trouve pas.

Les repas, ici, me sont un supplice. Nous avons
le choix entre deux restaurants, qui tous les deux
dépendent du casino; car les hôtels ne servent
point de repas, et cette ville d'eaux, qui n'a de
ville que le nom, se compose du casino, de l'établissement thermal, et de quatre grands hôtels.
Ces réfectoires où l'on se rend comme des pension-
naires ou des prisonniers, où l'on grille à midi
sous le rude soleil montagnard, suffisent à me
couper l'appétit. J'ai songé à me faire servir dans
ma chambre, mais on m'apportera la desserte tiède,
et puis, ce ne serait pas gentil pour Marthe, à qui
les repas sont des prétextes à potiner et à fouiner...
Je parle déjà comme elle!

Calliope s'assied à la même table que nous, et
Maugis aussi, que je supporte mal. Marthe s'occupe de lui, paraît s'intéresser à ses articles de
critique, quémande, autoritaire, un article sur *Un
Drame du cœur,* le dernier roman de mon beau-
frère, pour fouetter la vente et encourager les
villes d'eaux...

Léon dévore les viandes coriaces avec un appétit d'homme anémié et ne lâche pas Calliope, qui persiste à le renvoyer à ses soixante lignes, méprisante comme une fille de roi pour un scribe à gages. Drôle de petite femme! Je l'avoue; c'est moi qui la recherche maintenant. Elle se raconte avec une volubilité embarrassée, pêchant dans une langue étrangère le mot qui lui fait défaut dans la nôtre, et j'écoute comme un conte de fées le récit cahoté de sa vie.

C'est surtout pendant la douche de Marthe, à l'heure déserte, que je m'oublie à l'entendre. Je m'assieds en face d'elle dans un grand fauteuil d'osier, derrière la laiterie et j'admire, pendant qu'elle parle, sa beauté parée et en désordre.

— Quand j'étais petite, dit Calliope, j'étais très belle.

— Pourquoi « j'étais »?

— Because je suis moins. La vieille qui lavait le linge me crachait toujours dans la figure.

— Oh! la dégoûtante! Vos parents ne l'ont pas mise à la porte?

Le beau regard bleu de Calliope me couvre de dédain :

— A la porte? Chez nous, il faut les vieilles cracher sur les jolies petites, en disant « Phtu! phtu! » : c'est pour conserver belles et garder contre mauvais œil. Je suis conservée kallista aussi, pourquoi ma mère, le jour du baptême, a fait mettre repas sur table, la nuit.

— Ah?

— Oui. On pose sur la table beaucoup de choses pour manger, et on se couche. Alors, les mires vient.

— Qui?

— Les mires. On les voit pas, mais elles arrivent pour manger. Et on range chaque chair, chiesa, comment vous dites? chaise, bien contre mur, parce si une des mires cognait son coude en passant pour sit à table, elle donnerait... mauvais sort sur petit enfant.

— Que c'est joli, ces vieux usages! Les mires, comme vous dites, ce sont des fées?

— Fées? je sais pas. C'est des mires... Ha! j'ai mal à ma tête.

— Voulez-vous un peu d'antipyrine? j'en ai dans ma chambre.

Calliope passe sur son front poli une main aux doigts teints de rose.

— Non, merci. C'est ma faute. J'ai pas fait les croix.

— Quelles croix?

— Comme ça, sur l'oreiller.

Elle dessine sur son genou une série de petites croix rapides, avec le tranchant de la main.

— Vous faites les pétits croix, et vite, vite, vous couchez la tête sur l'endroit, et les mauvais visiteurs ne vient pas dans le sommeil, ni head-ache, ni rien.

— Vous êtes sûre?

Calliope hausse les épaules et se lève :

— Si, je suis sûre. Mais vous, c'est un peuple sans réligion.

— Où courez-vous, Calliope?

— C'est devtera... lundi. Il faut faire mes ongles. Voilà encore que vous ne savez pas! Lundi, faire les ongles : santé. Mardi, faire les ongles : fortune.

— Et vous préférez la santé à la fortune? Comme je vous comprends!

Déjà en marche, elle se retourne, tenant à brassées ses dentelles éparses.

— Je préfère pas... lundi je fais une main, et mardi l'autre.

Entre midi et cinq heures, une chaleur inhumaine terrasse tous les baigneurs. La plupart s'enferment dans le grand hall du casino, qui ressemble à la salle des pas-perdus de quelque gare modern style. Renversés dans les rockings, ils flirtent, les malheureux! ils sucent du café dans de la glace pilée, et somnolent au bruit d'un vague orchestre assoupi comme eux-mêmes. Je me dérobe souvent à ces plaisirs prévus, embarrassée par les regards, par le mauvais ton de Maugis, par le bruit d'une trentaine d'enfants et leur sans-gêne déjà poseur. Car j'ai vu là des petites filles, à qui leurs treize ans font déjà du mollet et de la hanche, user indignement de ce qu'on appelle les privilèges de l'enfance. A cheval sur la jambe d'un grand cou-

sin, ou juchée sur un tabouret de bar, les genoux
au menton, une adorable petite blonde, aux yeux
qui savent, montre tout ce qu'elle peut d'elle-même
et guette d'un regard de chatte froide, l'émoi hon-
teux des hommes. Sa mère, une grosse cuisinière
couperosée, s'extasie : « Est-elle bébé, à son âge! »
Je ne peux pas croiser cette gamine effrontée sans
me sentir mal à l'aise. Elle a inventé de souffler
des bulles de savon et de les poursuivre d'une ra-
quette en laine. Des individus de tout âge soufflent
maintenant dans des pipes de terre et courent après
les bulles de savon pour frôler la petite fille, lui
voler son chalumeau, l'enlever d'un bras quand
elle se penche à la baie vitrée. Ah! quelle vilaine
bête dort donc dans certains hommes!

Il reste encore, Dieu merci, de vrais bébés, des
garçonnets patauds, aux mollets nus couleur de
cigare, d'une gentillesse oursonne; des fillettes
poussées trop vite, tout en angles et en grands
pieds minces, des tout-petits, les bras en boudins
roses ficelés de plis tendres — comme ce gros amour
de quatre ans, malheureux dans sa première culotte, et qui chuchotait, très rouge, à sa miss sévère et dégoûtée : « Est-ce que le monde a l'air
que j'ai fait dans mon pantalon? »

Je traverse, pour rentrer chez moi, la nappe dangereuse de soleil qui sépare notre hôtel du casino.
Pendant vingt-cinq secondes, je goûte le plaisir
cuisant de me sentir comme soulevée de chaleur,
le dos grésillant, les oreilles bourdonnantes... Près

de tomber, je me réfugie dans la fraîcheur noire du vestibule, où une porte ouverte sur les sous-sols laisse monter une odeur de vieille futaille, de vin rouge tourné en vinaigre... Puis, c'est ma chambre silencieuse, déjà parfumée de moi, le lit moins hostile, où je me jette en chemise, pour y songer, dévêtue, jusqu'à cinq heures...

Toby effleure mes pieds nus d'une langue congestionnée, puis tombe prostré sur le tapis. Mais cette horripilante caresse me laisse tremblante et comme outragée, oriente mes pensées sur la mauvaise route... Ma demi-nudité me rappelle la douche de Marthe, ce qu'elle cherche dans ces jets qui la rudoient, la blancheur de mon mari... celui du rêve... Pour me délivrer de l'obsession — est-ce bien pour m'en délivrer? — je saute à bas du lit et cours chercher, entre deux sachets, le dernier portrait d'Alain.

Quoi donc?... Est-ce maintenant que je rêve? Ce beau garçon-là, il me semble que je ne le reconnais pas... Le dur sourcil, et cette pose arrogante de coq! Voyons, je me trompe, et le photographe aura retouché à l'excès?...

Mais non, cet homme-là, c'est mon mari, qui voyage au loin. Je tremble devant son image, comme je tremble devant lui-même. Une créature courbée, inconsciente de sa chaîne, voilà ce qu'il a fait de moi... Bouleversée, je cherche obstinément dans notre passé de jeunes époux, un souvenir qui puisse m'abuser de nouveau, qui me rende le mari

que j'ai *cru* avoir. Rien, je ne trouve rien... que
ma soumission d'enfant battue, que son sourire de
condescendance sans bonté... Je voudrais savoir
que je rêve ou que je délire. Ah! le méchant, le
méchant! Quand m'a-t-il fait le plus de mal, en
partant sur la mer, ou bien en me parlant pour
la première fois?

Dans la chambre de Marthe, qui est la plus grande, nous attendons, derrière les volets tirés, Claudine et Calliope qui doivent venir prendre le thé, Claudine arrivée d'hier soir avec son mari, et qui viendra seule, par exception, Marthe excluant aujourd'hui les hommes, « pour se reposer ». Elle se repose en piétinant sur place, en virant dans sa robe de mousseline vert cru, un vert impossible qui outre sa blancheur et embrase sa chevelure mousseuse. Au corsage échancré, une grosse rose rose, commune et embaumée. Marthe associe sur elle, d'un choix sûr, de violentes et heureuses couleurs...

Je la trotve bien agitée, les yeux menaçants et la bouche triste. Elle s'assied, crayonne rapidement sur une feuille blanche, murmure des chiffres :

— ... Ici, c'est deux louis par jour... quinze cents francs chez Hunt à la rentrée... et l'autre idiot qui veut passer par Bayreuth... C'est plutôt compliqué, la vie !

— Tu me parles, Marthe?

— Je te parle sans te parler. Je dis que c'est compliqué, la vie.

— Compliqué... peut-être bien.

Elle hausse les épaules.

— Oui. « Peut-être bien. » S'il te fallait trouver cinq cents louis.

— Cinq cents louis?

— Ne te fatigue pas à calculer, ça fait dix mille francs. S'il te fallait les dénicher d'ici trois semaines, dans... dans les plis de ta robe, qu'est-ce que tu ferais?

— Je... j'écrirais au banquier... et à Alain.

— Comme c'est simple!

Elle est si sèche que je crains de l'avoir froissée :

— Comme tu me dis cela, Marthe! Est-ce que... est-ce que tu as besoin d'argent?

Ses durs yeux gris s'apitoient :

— Mon pauvre petit pruneau, tu me fais de la peine. Bien sûr, j'ai besoin d'argent... Tout le temps, tout le temps!

— Mais, Marthe, je vous croyais riches! Les romans se vendent, et ta dot...

— Oui, oui. Mais il faut manger. Le chateaubriand est hors de prix cette année. Crois-tu qu'avec trente mille de rente, en tout et pour tout, une femme puisse vivre convenablement, si elle n'a pas un courage de teigne?

Je réfléchis une seconde, pour avoir l'air de calculer :

— Dame... c'est peut-être un peu juste. Mais, Marthe, pourquoi ne pas...

— Ne pas?...

— Ne pas le dire? J'ai de l'argent, moi, et je serais très contente...

Elle m'embrasse, d'un baiser qui sonne comme une tape, et me tire l'oreille :

— T'es gentille. Je ne dis pas non. Mais pas maintenant. Laisse, j'ai encore une ou deux ficelles qui sont comme neuves. Et puis, je te garde pour la bonne bouche. Et puis... ça m'amuse de me battre contre l'argent, de trouver à mon réveil une facture qu'on réclame pour la dixième fois, de regarder le dedans de mes mains vides en me disant : « Ce soir, il faut vingt-cinq louis dans cette menotte-là. »

Ébahie, je la contemple, cette petite Bellone en robe verte comme une sauterelle... « Se battre, lutter... » des mots effrayants qui font lever des images de gestes meurtriers, de muscles tendus, de sang, de victoires... Je reste devant elle comme une infirme, les mains inertes, songeant à mes larmes récentes devant la photographie d'Alain, à ma vie écrasée... Un trouble pourtant me vient :

— Marthe... comment fais-tu?

— Tu dis?

— Comment fais-tu, quand tu as tant besoin d'argent?

Elle sourit, se détourne, puis me regarde de nouveau, avec un air doux et lointain :

— Eh bien, voilà... je tape l'éditeur de Léon... J'embobine le couturier, ou bien je le terrorise... Et puis il y a des rentrées inespérées.

— Tu veux dire de l'argent qu'on te devait, que tu avais prêté?

— A peu près... J'entends Claudine; à qui parle-t-elle?

Elle ouvre la porte et se penche sur le corridor. Je la suis des yeux, avec une arrière-pensée pénible... Pour la première fois, je viens de feindre l'ignorance, de simuler le zozotisme d'une Rose-Chou... « Des rentrées inespérées! »... Marthe m'inquiète.

Claudine parle en effet, dans le corridor. J'entends : « Ma fîîîlle... » Quelle fille? Et cettte tendresse dans l'accent?...

Elle paraît, tenant en laisse sa Fanchette maniérée et tranquille qui marche en ondulant et dont les yeux verts noircissent à notre vue. Marthe, ravie, bat des mains comme au théâtre.

— Comme c'est bien Claudine! Où avez-vous pris cette bête délicieuse? Chez Barnum?

— Pardi non. Cheux nous. A Montigny. Fanchette, assise!

Claudine ôte son chapeau de garçon, remue ses boucles. Elle a ce teint mat, cet air sauvage et doux qui me plaît tant. Sa chatte s'assied correctement, la queue sous les pattes de devant. J'ai bien fait d'envoyer mon Toby promener avec Léonie; elle l'aurait griffé.

— Bonjour, vous, princesse lointaine.

— Bonjour, Claudine. Vous avez fait bon voyage?

— Très bon, Renaud charmant. Il a tout le temps flirté avec moi, si bien que je n'ai pas eu une seule minute la sensation d'être mariée... Croyez-vous, un monsieur qui voulait m'acheter Fanchette? Je l'ai regardé comme s'il avait violé ma mère... On a chaud, ici. Est-ce qu'il va venir beaucoup de dames?

— Non, non, Calliope van Langendonck seulement.

Claudine passe lestement son pied par-dessus une chaise, une chaise très haute :

— Chance! je l'adore, Calliope. Ohé, de la trirème! On va avoir du goût. Et puis elle est jolie, et puis elle est la dernière détentrice de l' « âme antique. »

— Par exemple! se révolte Marthe. Elle qui est cosmopolite comme un croupier du casino!

— C'est ce que je voulais dire. Elle incarne, en mon imagination simpliste, tous les peuples qui sont en dessous de nous.

— Les taupes? raillé-je timidement.

— Non, subtile petite rosse. Au-dessous... sur la carte. La voilà! Paraissez, Calliope, Hébé, Aphrodite, Mnasidika... Je sors tout ce que je sais de grec pour vous!

Calliope semble nue dans une robe trop riche

de chantilly noir sur crêpe de Chine clair. Elle succombe dès le seuil :

— Je suis morte. Trois étages...

— ... C'est movais pour peau, continue Claudine.

— Mais c'est bon pour femme enceinte. Ça fait tomber enfant.

MARTHE, *effarée*. — Vous êtes enceinte, Calliope?

CALLIOPE, *sereine*. — Non, *never*, jamais.

MARTHE, *amère*. — Vous avez de la veine. Moi non plus, d'ailleurs. Mais c'est assommant, tous ces moyens préventifs. Comment vous garez-vous, vous?

CALLIOPE, *pudique*. — Je suis veuve.

CLAUDINE. — Evidemment, c'est un moyen. Mais la condition n'est ni nécessaire, ni suffisante. Quand vous n'étiez pas veuve, qu'est-ce que vous faisiez?

CALLIOPE. — Je faisais les croix dessus, avant. Et je tousse, après.

MARTHE, *qui pouffe*. — Les croix!... Sur qui? Sur vous ou sur le partenaire?

CALLIOPE. — Sur tous deux, *dearest*.

CLAUDINE. — Ah! Ah! Et vous toussiez après? C'est le rite grec?

CALLIOPE. — Non, poulaki mou. On tousse comme ça (*elle tousse*) et c'est parti.

MARTHE, *dubitative*. — Ça vient plus vite que ça ne s'en va... Claudine, passez-moi donc la salade de pêches...

CLAUDINE, *absorbée*. — Je ne suis pas curieuse, mais j'aurais voulu voir sa tête...

CALLIOPE. — Tête de qui?

CLAUDINE. — La tête de feu van Langendonck, pendant que vous « faisiez croix dessus ».

CALLIOPE, *candide*. — Mais je les faisais pas sur tête.

CLAUDINE, *éclatant*. — Ah! ah! que j'ai du goût. (*Suffoquant de rire.*) Cette bon sang de Calliope me fait engorger!

Elle crie et se pâme de joie; Marthe, elle aussi, s'étrangle. Moi-même, malgré la honte qu'elles me donnent, je ne puis m'empêcher de sourire dans la demi-obscurité qui me protège, qui ne me protège pas assez, car Claudine a surpris la gaieté silencieuse que je me reproche.

— Eh là, dites donc, sainte Annie, je vous vois. Allez jouer dans le parc tout de suite, ou n'ayez pas l'air de comprendre. Ou plutôt non (sa voix rude devient douce et chantante), souriez encore! Quand les coins de votre bouche remontent, vos paupières descendent, et les histoires de Calliope ont moins d'équivoque... petite Annie... que votre sourire...

Marthe interpose entre Claudine et moi l'aile d'un éventail ouvert :

— ... et si ça continue, vous allez appeler ma belle-sœur « Rézi »! Merci, je ne veux pas que mon honnête chambre serve à ça!

Rézi? qu'est-ce que c'est? Je m'enhardis :

— Vous avez dit... Rézi? C'est un mot d'une langue étrangère?

— Vous ne croyez pas si bien dire! riposte Claudine pendant que Marthe et Calliope échangent des sourires complices. Puis sa gaieté tombe net, elle cesse de sucer son café glacé, rêve une minute, avec des yeux assombris, les mêmes yeux que ceux de sa chatte blanche qui, pensive, menace un point dans le vide...

Qu'ont-elles dit encore? Je ne sais plus, je me reculais de plus en plus dans l'ombre de la persienne. Je n'ose transcrire les bribes que je me rappelle. Mille horreurs! Calliope met à les débiter plus d'inconscience, une impudeur exotique; Marthe une crudité nette et sans trouble; Claudine, une sorte de sauvagerie languide, qui me révolte moins.

Elles en étaient venues à me questionner, avec des rires, sur des gestes et des choses que je n'ose nommer, même en pensée. Je n'ai pas tout compris, j'ai balbutié, j'ai retiré mes mains de leurs mains insistantes, elles ont fini par me laisser, bien que Claudine murmurât, les yeux sur mes yeux pâles qui laissent trop entrer le vouloir d'autrui : « Cette Annie est attachante comme une jeune fille. » Elle est partie la première, emmenant sa chatte blanche au collier de cuir vert, et bâillant à notre nez : « Il y a trop longtemps que j'ai vu mon grand; le temps me dure! »

Maugis « colle » de plus en plus. Il encense Marthe de ses hommages, qui montent vers elle dans une fumée de whisky. Ces rendez-vous à la musique de cinq heures m'excèdent. Nous y retrouvons Calliope, autour de qui les hommes ont des regards de meute, et Renaud-Claudine amoureux et agaçants. Mais oui, agaçants! Cette manière de se sourire des yeux, de s'asseoir genou à genou, comme des mariés de quinze jours! Et encore, j'ai vu, moi, des mariés de quinze jours, qui n'attiraient pas l'attention...

... Deux mariés tout récents qui dînaient à une petite table de restaurant, lui roux, elle trop brune, sans que le visage traduisît jamais le désir, leurs mains la caresse, sans que leurs pieds se joignissent sous la nappe retombante... Souvent, elle laissait descendre ses paupières sur des yeux transparents, « couleur de fleur de chicorée sauvage », elle posait et reprenait sa fourchette, froidissait sa main chaude au flanc perlé de la carafe, en fiévreuse accoutumée à sa fièvre. Lui, il mangeait d'un appétit sain comme ses dents, et parlait d'une voix de maître : « Annie, vous avez tort; cette viande est saignante à point... » L'aveugle! l'indifférent! il ne voyait ni cette fièvre douce, ni ces cils trop lourds qui voilent les yeux bleus. Il ne devinait pas quelle angoisse était la mienne, et

comme j'aspirais, en la redoutant, à l'heure encore
non venue où mon plaisir saurait répondre au
sien... Que cela est pénible à écrire... effarée, obéis-
sante, je me pliais à sa caresse simple et robuste
qui me quittait trop tôt, à l'instant où raidie, la
gorge pleine de larmes, au bord même, pensais-je,
de la mort, j'appelais et j'attendais... je ne savais
quoi.

Je le sais maintenant. L'ennui, la solitude, un
après-midi d'atroce migraine et d'éther ont fait
de moi une pécheresse pleine de remords. Péché
qui menace toujours et contre quoi je lutte déses-
pérément... Depuis que je rédige ce journal, je me
vois apparaître, chaque jour, un peu plus nette,
comme un portrait noirci qu'une main experte
relave... Comment Alain, qui s'enquérait si peu de
mes misères morales, devina-t-il ce qui s'était passé
entre moi et... et Annie? Je l'ignore. Peut-être une
jalousie de bête trahie l'éclaira-t-elle ce jour-là...

D'où m'est donc venue la lumière? De son absence? Quelques lieues de terre et d'eau entre lui
et moi ont fait ce miracle? Ou bien j'ai bu le
philtre qui rendit la mémoire à Siegfried? Mais
le philtre tardif lui rendit aussi l'amour, et moi,
hélas!... A quoi m'accrocherai-je? Tous, autour de
moi, courent et combattent vers le but de leur
vie... Marthe et Léon peinent, lui pour les gros
tirages, elle pour le luxe. Claudine aime, et Calliope se laisse aimer... Maugis se grise... Alain
remplit sa vie de mille vanités exigeantes : respec-

tabilité, existence brillante et correcte, souci d'habiter une maison bien tenue, d'éplucher son livre d'adresses comme un certificat de domestique, de dresser sa femme qu'il enrêne trop court comme son demi-sang anglais... Ils vont, ils agissent, et moi je reste les mains vides et pendantes...

Marthe tombe au milieu de cet accès noir. Elle-même semble moins allègre, sinon moins vaillante, et sa bouche mobile et rouge rit avec un pli triste. Mais peut-être est-ce moi qui vois tout amer?

Elle s'assied sans me regarder, dispose les plis d'une jupe de dentelle, qui accompagne un petit habit Louis XVI en pékin blanc. Des plumes blanches frémissent sur son chapeau blanc. Je n'aime pas beaucoup cette robe-là, trop parée, trop messe de mariage. Je préfère tout bas la mienne en voile ivoire coulissée partout, en rond à l'empiècement, au-dessus du volant de la jupe, aux manches qui s'ouvrent ensuite en ailes...

— Tu viens? demanda Marthe, la voix brève.

— Où ça?

— Oh! cet air de tomber toujours de la lune! A la musique, il est cinq heures.

— C'est que je...

Son geste coupe :

— Non, je t'en prie! Tu l'as déjà dit. Ton chapeau, et filons.

D'habitude, j'eusse obéi, quasi inconsciente. Mais aujourd'hui est un jour troublé, qui me change :

— Non, Marthe, je t'assure, j'ai mal à la tête.
Elle remue ses épaules :

— Je sais bien. C'est l'air qui te remettra. Viens!

Doucement, je réponds toujours non. Elle se
mord les lèvres et fronce ses sourcils roux, crayon-
nés de châtain.

— Enfin, voyons! J'ai besoin que tu viennes, là!

— Besoin?

— Oui, besoin. Je ne veux pas rester seule...
avec Maugis.

— Avec Maugis? C'est une plaisanterie. Il y aura
Claudine, Renaud et Calliope.

Marthe s'agite, pâlit un peu, ses mains tremblent.

— Je t'en supplie, Annie... ne me fais pas mettre
en colère.

Interloquée, défiante, je reste assise. Elle ne me
regarde pas, et parle, les yeux vers la fenêtre :

— J'ai... grand besoin que tu viennes, parce
que... parce que Léon est jaloux.

Elle ment. Je sens qu'elle ment. Elle le devine,
et tourne enfin vers moi ses yeux de flamme.

— Oui, c'est une craque, parfaitement. Je veux
parler à Maugis, sans témoins; j'ai besoin de toi
pour faire croire aux autres que tu nous accom-
pagnes, lui et moi, un bout de chemin, à trente
pas, comme l'institutrice anglaise. Tu prendras
un livre, un petit ouvrage, ce que tu voudras. Là.
Ça y est? Qu'est-ce que tu décides? Me rendras-tu
ce service?

J'ai rougi pour elle. Avec Maugis! Et elle a
compté sur moi pour... oh! non!

A mon geste, elle frappe rageusement du pied :

— Sotte! crois-tu que je vais coucher avec lui
dans un fourré du parc? Comprends donc que rien
ne va, que l'argent se cache, qu'il faut que je
tire à Maugis, non seulement un article sur le
roman de Léon qui va paraître en octobre, mais
deux, mais trois articles, dans les revues étrangères
qui nous ouvriront Londres et Vienne! Ce soiffard
est plus malin qu'un singe, et nous nous mesurons
depuis un mois; mais il y passera, ou je... je...

Elle bégaie de fureur, le poing tendu, avec une
sauvage figure de tricoteuse déguisée en ci-devant,
puis se calme, par un bel effort, et dit froide-
ment :

— Voilà la situation. Tu viens à la musique?
A Paris, je n'en serais pas réduite à te demander
ça. A Paris, une femme d'esprit se tire d'affaire
toute seule! Mais ici, dans ce phalanstère, où le
voisin d'hôtel compte vos chemises sales et les brocs
d'eau chaude que la bonne monte le matin...

— Alors, Marthe, dis-moi... c'est par amour pour
Léon?

— Par amour que... quoi?

— Oui, que tu te dévoues, que tu fais bon visage à cet individu... c'est pour la gloire de ton
mari, n'est-ce pas?

Elle rit sèchement en poudrant ses joues allu-
mées :

— Sa gloire, si tu veux. Le laurier est une coiffure... qui en vaut une autre. Ne cherche pas ton chapeau, il est sur le lit.

Jusqu'où me mèneront-elles? Il n'en est pas une des trois à qui je voudrais ressembler! Marthe, prête à tout, Calliope, cynique comme une femme de harem, et Claudine sans pudeur, à la manière d'un animal qui a tous les instincts, même les bons. Mon Dieu, puisque je les juge clairement, préservez-moi de devenir semblable à elles!

Oui, j'ai suivi Marthe à la musique, puis dans le parc, et Maugis marchait entre nous deux. Dans une allée déserte, Marthe m'a dit simplement : « Annie, le ruban de ton soulier se défait. » Docile, j'ai semblé rattacher un lacet de soie dont le nœud tenait fort bien, et je n'ai pas rattrapé ma distance. Je marchais derrière eux, les yeux à terre, sans oser regarder leurs dos et sans entendre de leurs voix qu'un murmure précipité.

Lorsque Marthe, émue et triomphante, est venue me relever de ma honteuse faction, j'ai poussé un grand soupir de soulagement. Elle m'a pris le bras, gentille :

— C'est fait. Merci, petite. Tu m'as aidée à arranger bien des choses. Mais juge de la difficulté! Si j'avais donné rendez-vous à Maugis dans le parc, à la laiterie, ou aux petites tables du café glacé, un gêneur, ou pis : une gêneuse nous serait tombée sur le poil au bout de cinq minutes. Le voir dans ma chambre, ça devenait dangereux...

— Alors, tu les auras, Marthe?

— Quoi?

— Les articles des revues étrangères?

— Ah! oui... Oui, je les aurai, et tout ce que je voudrai.

Elle se tait un instant, secoue ses grandes manches pour s'aérer, et murmure comme pour elle-même :

— Il est riche, le mufle!

Surprise, je la regarde :

— Riche? qu'est-ce que cela peut te faire, Marthe?

— Je veux dire par là, explique-t-elle très vite, que je l'envie d'écrire pour son plaisir, au lieu de masser, comme ce pauvre Léon, qui assiège là-bas Calliope sans résultat. Cette ville cypriote, sans remparts, se défend étonnamment!

— Et puis, l'assaillant n'est peut-être pas très armé, risqué-je timidement.

Marthe s'arrête net au milieu de l'allée :

— Miséricorde! Annie qui lâche des inconvenances! Ma chère, je ne te savais pas sur Léon des documents si précis.

Elle a rejoint, tout animée, le groupe des amis quittés, mais j'ai de nouveau prétexté la migraine, et me revoici dans ma chambre, mon Toby noir à mes pieds, inquiète de moi, mécontente de tout,

humiliée du vilain service que je viens de rendre
à ma belle-sœur.

Ah! tout ce qu'Alain ne soupçonne pas! Cela me
fait méchamment sourire, de penser qu'il ignore
tant de moi-même, et tant de sa sœur préférée. Je
prends en grippe cet Arriège, où ma vie s'est éclairée si tristement, où l'humanité plus petite et plus
serrée se montre toute proche et caricaturale... J'ai
usé l'amusement de voir remuer tous ces gens-là.
Il défile, à la laiterie matinale, trop de laideurs
replâtrées chez les femmes, de convoitises bestiales
chez les hommes, — ou bien de fatigue, car il y
paraît de sinistres figures de baccara, tirées et
vertes, avec des yeux injectés. Ces figures-là appartiennent à des corps gourds d'hommes assis toute
la nuit sur une chaise, et l'arthritisme n'ankylose
pas seul tant de « charnières », comme dit Marthe.

Je n'ai plus envie d'entrer dans la salle de gar-
garisme, ni d'assister à la douche de Marthe, ni
de potiner dans le hall, ni de m'épanouir aux *Noces
de Jeannette* avec Claudine, cette effrontée, folle
de Debussy, ayant imaginé par sadisme d'aller
applaudir frénétiquement les opéras-comiques les
plus poussiéreux. Que les mêmes heures ramènent
les mêmes plaisirs, les mêmes soins, rassemblent les
mêmes visages, voilà ce que je ne puis plus supporter. Par la fenêtre, mes yeux fuient constam-
ment vers la déchirure ouverte à l'ouest de la
vallée, cassure dans la chaîne sombre qui nous
enserre, faille de lumière où brillent de lointaines

montagnes voilées d'une poudre de nacre, peintes
sur un ciel dont le bleu défaillant et pur est le
bleu même de mes prunelles... C'est par là, maintenant, qu'il me semble que je m'évade... Par là
je devine (ou je suppose, hélas!) une autre vie
qui serait la mienne, et non celle de la poupée
sans ressort qu'on nomme Annie.

Mon pauvre Toby noir, que faire de toi? Voilà
que nous allons partir pour Bayreuth! Marthe l'a
décidé, d'un entrain qui m'épargne toute dis-
cussion. Va, je t'emmènerai, c'est encore le plus
simple et le plus honnête. Je t'ai promis de te
garder, et j'ai besoin de ta présence adorante et
muette, de ton ombre courte et carrée près de mon
ombre longue. Tu m'aimes assez pour respecter
mon sommeil, ma tristesse, mon silence, et je t'aime
comme un petit monstre gardien. Une gaieté jeune
me revient, à te voir m'escorter, grave, la gueule
distendue par une grosse pomme verte que tu
portes précieusement tout un jour, ou gratter d'une
griffe obstinée un dessin du tapis, pour le détacher
du fond. Car tu vis, ingénu, entouré de mystères.
Mystère des fleurs coloriées sur l'étoffe des fauteuils, duperie des glaces d'où te guette un fantôme
de bull, poilu de noir, qui te ressemble comme un
frère, piège du rocking-chair, qui se dérobe sous les
pattes... Tu ne t'obstines pas à pénétrer l'incon-

naissable, toi. Tu soupires, ou tu rages, ou bien tu souris d'un air embarrassé, et tu reprends ta pomme verte mâchouillée.

Moi aussi, il n'y a pas deux mois, je disais : « C'est ainsi. Mon maître sait ce qu'il faut. » A présent, je me tourmente et je me fuis. Je me fuis! Entends ce mot comme il faut l'entendre, petit chien, plein d'une foi que j'ai perdue. Il vaut mieux, cent fois mieux, radoter sur ce cahier et écouter Calliope et Claudine, que m'attarder seule, dangereusement, avec moi-même...

Nous ne parlons plus que de voyage. Calliope m'en rebat les oreilles, et se désole de notre départ, à grand renfort de « Diè tout-puissant! » et de « poulaki mou ».

Claudine considère toute cette agitation avec indifférence et gentillesse. Renaud est là, que lui importe le reste? Léon, amer depuis son échec qu'il ne pardonne pas à Calliope, parle trop de son roman, du Bayreuth qu'il veut y décrire, « un Bayreuth considéré sous un angle spécial ».

— C'est un sujet neuf, déclare gravement Maugis qui envoie depuis dix ans, à trois journaux quotidiens, des correspondances bayreuthiennes.

— C'est un sujet neuf quand on sait le rajeunir, affirme Léon, doctoral. Bayreuth vu par une femme amoureuse à travers l'hyperesthésie des sens que donne la passion satisfaite, — et illégitime!

— blaguez, blaguez... ça peut fournir une très bonne copie et vingt éditions!

— Pour le moins, souffle Maugis dans un flot de fumée. D'abord, moi, je donne toujours raison au mari d'une jolie femme.

La jolie femme somnole à demi, allongée dans un rocking... Marthe ne dort jamais qu'à la façon des chats.

Nous cuisons dans le parc; deux heures, l'heure étouffante et longue; le café glacé fond dans les tasses, Calliope se meurt doucement, en gémissant comme un ramier. Je jouis du soleil torride, renversée dans un fauteuil de paille, et je ne remue pas même les paupières... A la pension, on m'appelait le lézard... Léon consulte fréquemment sa montre, attentif à ne pas dépasser le temps fixé pour sa récréation. La dépouille de Toby, qui semble inhabitée, gît sur le sable fin.

— Tu emmènes ce chien? soupire Marthe faiblement.

— Certainement, c'est un si honnête garçon!

— Je n'aime pas beaucoup les honnêtes garçons, même en voyage.

— Alors, tu monteras dans un autre compartiment.

Ayant répondu cela, je m'émerveille en silence de moi-même. Le mois dernier, j'aurais répondu : « Alors, je monterai dans un autre compartiment. »

Marthe ne réplique rien et semble dormir. Au bout d'un instant, elle ouvre tout à fait ses yeux vigilants :

— Dites donc, vous autres, vous ne trouvez pas qu'Annie est changée?

— Heu... mâchonne Maugis, très vague.

— Vous croyez? demande Calliope, conciliante.

— Peut-être... hésite Léon.

— J'ai plaisir à constater que vous êtes tous de mon avis, raille ma belle-sœur. Je ne vous suprendrai donc pas en disant qu'Annie marche plus vite, courbe moins les épaules, regarde moins à terre et parle presque comme une personne naturelle. C'est Alain qui va trouver du changement!

Gênée, je me lève :

— C'est ton activité, Marthe, qui me galvanise. Alain n'en sera pas aussi surpris que tu le penses. Il m'a toujours prédit que tu aurais une excellente influence sur moi. Je vous demande pardon, mais je rentre écrire...

— Je vous suis, dit Calliope.

Effectivement, elle me suit, sans autre encouragement de ma part. Elle passe sous mon bras mince son bras potelé.

— Annie, j'ai un très grand service à vous demander.

Bon Dieu, quelle figure séduisante! Entre les cils en pointes d'épées, les yeux lazuli luisent, fixes, suppliants, et la bouche en arc tendu s'entrouvre prête, dirait-on, à toutes les confidences... Avec Calliope, il faut s'attendre à tout.

— Dites, ma chère, vous savez bien que s'il est en mon pouvoir...

Nous sommes dans ma chambre. Elle me prend les mains, avec une mimique outrée d'actrice italienne.

— Oh! oui, n'est-ce pas? Vous êtes une tellement pure! C'est ce qui m'a décidée. *I am...* perdue, si vous me refuseriez! Mais vous voudrez vous intéresser pour moi...

Elle roule en tampon un petit mouchoir de dentelle et s'essuie les cils. Ils sont secs. Je ne me sens pas à mon aise.

Très posée à présent, elle manie les cent fétiches baroques qui cliquettent à la chaîne (Claudine dit de Calliope qu'elle marche avec un bruit de petit chien) et regarde le tapis. Je crois qu'elle murmure quelque chose pour elle-même...

— C'est prière à la Lune, explique-t-elle. Annie, portez-moi secours. J'ai besoin d'une lettre.

— Une lettre?

— Oui. Une lettre... *épigraphion*. Une lettre bien, que vous dicterez.

— Mais pour qui?

— Pour... pour... un ami du cœur.

— Oh!

Calliope étend un bras tragique :

— Je jure, par serment, sur la tête de mes parents qui sont morts, que c'est un ami du cœur seulement!

Je ne réponds pas tout de suite. Je voudrais savoir...

— Mais, ma chère, quel besoin avez-vous de moi pour cela?

Elle se tord les mains avec un visage très calme :

— Comprenez! Un ami du cœur, que j'aime, oh! oui, j'aime, par serment. Annie! Mais... mais je le connais pas trop.

— Hein!

— Si. Il veut m'épouser. Il écrit lettres qui sont *passionnelles,* et je *answer...* réponds très peu pourquoi... parce que je sais pas très bien écrire.

— Qu'est-ce que vous me racontez là?

— La vérité, par serment! Je parle... deux, *tree,* quatre, *five,* langages, assez pour voyager. Mais je n'écris pas. Français surtout, si compliqué, si... je ne trouve pas le mot... Mon ami me croit... instruite, unique, femme universelle, et je voudrais tant paraître comme il croit! Sans ça... comme vous dites, en France, vous?... l'affaire est dans un seau.

Elle peine, rougit, pétrit son petit mouchoir et jette tout son fluide. Je réfléchis, très froide :

— Dites-moi, ma chère, sur qui comptiez-vous avant moi? Car enfin, je ne suis pas la première...

Elle hausse l'épaule rageusement :

— Un tout petit de mon pays, qui écrivait bien. Il était... amoureux de moi. Et je copiais sa correspondance... mais à l'autre genre, vous entendez.

Cette scélératesse paisible, au lieu de m'indigner, me donne le fou rire. C'est plus fort que moi, je ne puis prendre Calliope au sérieux, même dans le mal. Elle m'a désarmée. J'ouvre mon buvard.

— Mettez-vous là, Calliope, nous allons essayer.
Quoique... vous ne saurez jamais combien cela
m'est étrange d'écrire une lettre d'amour... Voyons.
Que dois-je dire?

— Tout s'écrie-t-elle avec une passion recon-
naissante. Que je l'aime!... Qu'il est loin!... Que
ma vie est sans parfum, et que je décoloris... Enfin
tout ce qu'on dit à l'habitude.

... Que je l'aime... qu'il est loin... J'ai déjà traité
le sujet, mais avec si peu de succès... Accoudée
près de Calliope, les yeux sur la main brillante de
bagues, je dicte comme en songe...

— Mon ami si cher...

— Trop froid, interrompit Calliope. Je vais
écrire « Mon âme sur la mer! »

— Comme vous voudrez... « Mon âme sur la
mer »... Je ne puis pas ainsi, Calliope. Donnez-moi
la plume, vous recopierez, vous modifierez après.

Et j'écris, enfiévrée :

« Mon âme sur la mer, vous m'avez laissée
comme une maison sans maître où brûle encore
une lumière oubliée. La lumière brûlera jusqu'au
bout, et les passants croiront que la maison est
habitée, mais la flamme va baisser dans une heure
et mourir... à moins qu'une autre main ne lui
rende l'éclat et la force...

— Pas ça, pas! intervient Calliope penchée sur
mon épaule. Pas bon, « l'autre main!... » Ecrivez
« la même main ».

Mais je n'écris plus rien. Le front sur la table,

au creux de mon bras replié, je pleure brusquement, avec le dépit de ne pouvoir cacher mes
larmes... Le jeu a mal fini. La bonne petite Calliope comprend — un peu de travers — et m'entoure de ses bras, de son parfum, de doléances,
d'exclamations désolées :

— Chérie! Psychi mou! Que je suis mauvaise!
J'ai pas pensé que vous étiez seule! Donnez, c'est
fini. Je veux plus. Et d'ailleurs, c'est assez. Le
commencé, bon pour varier dessus; je mettrai
palazzo au lieu de maison et je chercherai dans
romans français pour le reste...

— Je vous demande pardon, ma petite amie. Ce
temps d'orage m'a mis les nerfs en triste état.

— Nerfs! ah! s'il n'y avait que nerfs! dit Calliope sentencieuse, les yeux au plafond. Mais...

Son geste cynique et simple complète si singuliè-
rement sa phrase que malgré moi, je souris. Elle rit.

— Oui, hein? Addio, manythanks, et pardonnez-moi. J'emporte commencement de la lettre.
Soyez avec votre courage.

Déjà dehors, elle ouvre la porte et passe sa tête
de déesse malicieuse :

— Et même, je copierai deux fois. Parce que
j'ai un autre ami.

« En tant que salines et sulfureuses, les eaux
d'Arriège sont indiquées dans les maladies chroniques de la peau... »

Claudine lit tout haut le petit panégyrique, broché sous couverture séduisante, qu'offre aux baigneurs l'établissement thermal. Nous écoutons, pour la dernière fois, le triste orchestre qui joue tout le temps fortissimo, avec une rigueur morne et sans nuances. Entre une *Sélection des Dragons de Villars* et une *Marche* d'Armande de Polignac, Claudine nous initie, malgré nous et non sans commentaires, aux vertus de la source sulfureuse. Sa diction est châtiée, son ton docte, son calme imperturbable.

Sa chatte blanche, en laisse, dort sur une chaise de paille, « une chaise qui coûte deux sous, comme pour une personne », a réclamé Claudine, « et pas une chaise en fer, parce que Fanchette a le derrière frileux! »

— On va jouer à un jeu! s'écrie-t-elle, inspirée.

— Je me méfie un peu, dit son mari aux yeux tendres. Il fume des cigarettes égyptiennes odorantes, silencieux le plus souvent, détaché comme s'il avait mis toute sa vie en celle qu'il nomme « son enfant chérie »...

— Un jeu très joli! Je vais deviner, sur vos figures, les maladies que vous soignez ici, et quand je me tromperai, je donnerai un gage.

— Donnez-m'en un tout de suite, crie Marthe. Je me porte comme un charme.

— Moi aussi, grogne Maugis congestionné, le panama rabattu jusqu'aux moustaches.

— Moi aussi, fait Renaud, doucement.

— Et moi donc! soupire Léon, pâle et fatigué.

Claudine, toute jolie sous une capeline blanche, nouée sous le menton par des brides de tulle blanc, nous menace d'un doigt pointu.

— Attends, marche, bouge pas! Vous allez voir qu'ils sont tous venus pour leur plaisir..., comme moi!

Elle reprend son petit livre, et distribue ses diagnostics comme autant de bouquets :

— Marthe, à vous « l'acné et l'eczéma »! A vous, Renaud, la..., voyons... ah! « la furonculose ». C'est joli, pas? On dirait un nom de fleur. Je devine chez Annie « l'érysipèle à poussée intermittente », et chez Léon, « l'anémie scrofuleuse »...

— ... Merci, très peu pour lui, interrompt Renaud qui voit mon beau-frère en train de sourire jaune.

— ... et chez Maugis... chez Maugis... bon sang, je ne trouve plus rien... ah! je le tiens! Chez Maugis, dis-je... « l'herpès récidivant des parties génitales ».

Une explosion de rires! Marthe montre toutes ses dents et pouffe effrontément vers Maugis furieux, qui relève son panama pour invectiver contre l'inconvenante jeune femme. Renaud essaie sans conviction d'imposer silence, parce que tout un groupe honnête, derrière nous, vient de fuir à grand fracas scandalisé de chaises qu'on renverse.

— Faites pas attention, jette Claudine, ceux-là qui s'en vont (elle reprend sa brochure) c'est des

jaloux, des petites maladies de rien du tout, des...
« métrites chroniques », des mesquins « catarrhes
de l'oreille » ou de méchantes « leucorrhées » d'un
sou!

— Mais, vous-même, petit poison, éclate Maugis, qu'est-ce que vous êtes venue fiche ici, hormis
embêter les gens tranquilles?

— Chut!... (elle se penche mystérieuse et impor-
tante) ne le dites à personne, je viens soigner Fanchette qui a la même maladie que vous.

BAYREUTH.

La pluie, la pluie... Le ciel fond en pluie, et le ciel, ici, c'est du charbon. Si je m'appuie au rebord de la fenêtre, mes mains et mes coudes sont marqués de noir. La même poudre noire, impalpable, neige invisiblement sur ma robe de serge blanche, et si je caresse distraitement ma joue du plat de ma main, j'y écrase en traînées un charbon ténu et collant... sur le volant de ma jupe, des gouttes de pluie ont séché en petites lunes grises. Léonie brosse longuement mes vêtements et ceux de Marthe, d'un air allègre de gendarme sentimental. Ça lui rappelle son pays natal, Saint-Etienne, proclame-t-elle.

Vers l'ouest, le ciel jaunit. Peut-être la pluie va-t-elle cesser, et verrai-je Bayreuth autrement qu'à travers ce voile fin et sans plis, autrement aussi qu'à travers le double cristal de mes larmes.

Car, dès mon arrivée, je fondis en eau, comme les nuages. J'écrirai ici, avec un peu de honte, le puéril motif d'une telle crise de désolation.

A Schnabelweide, où nous quittions la ligne de

Nurnberg-Carlsbad, le train, hâtif et distrait plus
qu'il n'est accoutumé en Allemagne, emporta mon
nécessaire de toilette et ma malle vers l'Autriche,
de sorte que je me trouvai — après quinze heures
de route et toute poissée de ce charbon allemand
qui sent le soufre et l'iodoforme — sans une
éponge, sans un mouchoir de rechange, sans un
peigne, sans... tout ce dont je ne puis me passer.
Ce coup me démoralisa, et tandis que Léon et
Maugis couraient aux renseignements, je me mis
à pleurer, debout sur le quai de la gare, à pleurer
de grosses larmes qui faisaient de petites boules
dans la poussière.

— Cette Annie, murmurait Claudine avec philo-
sophie, comme elle a le tempérament marécageux.

Si bien que mon arrivée dans la « Ville Sainte »
fut pitoyable et ridicule. Le snobisme de Marthe
s'extasia en vain devant les cartes postales, les
Graals en verre rouge, les chromos, les bois
sculptés, les dessous de plats, les cruches à bière,
le tout à l'image du dieu Wagner; Claudine même,
mal peignée, le canotier sur l'oreille, m'arracha à
peine un sourire, quand, sur la place de la Gare,
elle me brandit sous le nez une saucisse fumante
qu'elle tenait à pleine main.

— J'ai acheté ça, cria-t-elle, c'est une espèce de
facteur des postes qui les vend. Oui, Renaud, un facteur! Il a des saucisses chaudes dans sa boîte en cuir
bouilli, et il les pêche avec une fourche, comme des
serpents. Vous n'avez pas besoin de faire la lippe,

Marthe, c'est délicieux! J'en enverrai à Mélie, je lui dirai que ça s'appelle un Wagnerwurst...

Elle s'en fut dansante tirant son doux mari vers une conditorei peinte en lilas, pour manger de la crème fouettée avec sa saucisse...

Grâce au zèle de Léon, éperonné par Marthe, grâce au polyglottisme de Maugis, qui parle autant de dialectes allemands qu'il y a de tribus dans Israël, et qui dompta, d'une phrase parfaitement inintelligible pour moi, l'apathie souriante des employés, je récupérai mes valises, à l'heure même où Claudine, émue de mon dénuement, m'envoyait une de ses chemises de linon, courte à faire rougir, et une petite culotte de soie japonaise semée de lunes jaunes, avec ce mot : « Prenez toujours ça, Annie, quand ce ne serait que pour essuyer vos larmes, et souvenez-vous que je suis un type dans le genre de saint Martin. Et encore, saint Martin eût-il donné son pantalon? »

J'attends, sans hâte, l'heure du déjeuner, la fin de la pluie. Un peu de bleu vogue entre deux nuages gras, puis disparaît. Ma fenêtre donne sur l'Opernstrasse, au-dessus d'un trottoir de planches qui cache une eau fétide. L'escalier sent le chou. Mon étrange lit-cercueil s'emboîte, durant le jour, sous un couvercle tendu d'étoffe à ramages. Le premier drap se boutonne au couvre-pied, et mon matelas est fait de trois morceaux, comme les chaises longues du grand siècle... Non, décidément

non, je ne sens point de fièvre sacrée. J'envie
Marthe, qui, dès la gare, pétillait d'un enthousiasme de convention, et respirait déjà ce que
son mari appelle, en style pompeux, « la ferveur
de tous les peuples venus pour adorer l'homme
qui fut plus grand qu'un homme »... Derrière la
cloison, j'entends cette néophyte se débattre rageusement parmi ses malles, vider d'un coup les
tout petits brocs d'eau chaude. La voix de Léon
m'arrive en bourdonnement. Le mutisme de
Marthe ne me semble point de bon augure. Et
je ne suis qu'à moitié surprise de l'entendre
s'écrier, de ce ton aigu, si peu... Marie-Antoinette :

— Zut! Quel sale patelin!

Une seule douceur m'apaise, m'immobilise devant
cette fenêtre, à ce guéridon d'acajou mal calé :
celle de me sentir très loin, hors d'atteinte...
Combien y a-t-il de temps qu'Alain est parti? Un
mois, un an? je ne sais plus. Je cherche en moi
son image reculée, je tends parfois l'oreille, comme
au bruit de son pas... Est-ce que je l'attends, ou
bien si je le crains? Souvent je me retourne vivement, avec l'impression qu'il est là, qu'il va poser
sa forte main sur mon épaule, et mon épaule cède
pour la recevoir... Cela est bref comme un avertis-
sement. Je sais bien que, s'il revenait, il serait de
nouveau mon maître, et mon cou ploie doucement
sous le joug encore récent, comme mon doigt
garde l'anneau qu'Alain y mit le jour de notre
mariage, l'anneau meurtrissant, un peu trop étroit.

Comme nous sommes mornes, tous les trois, dans
cette *Restauration,* pour des gens en voyage d'agré-
ment! Je sais bien que la nouveauté du lieu, le
maigre éclairage de gaz haletant, le vent froid sous
la tente mal jointe, ne m'incitent pas, personnelle-
ment, à la gaieté, mais Marthe et son mari ont le
même air perdu et gêné. Marthe regarde son poulet à la compote de poires et grignote du pain.
Léon prend des notes. Sur quoi? L'endroit est plutôt quelconque. Ce restaurant Baierlein qui tire sa
vogue d'une terrasse en coin qu'abrite une tente
rayée, me paraît assez ressemblant à celui d'Arriège, compotes en plus. Davantage d'Anglaises à
table, peut-être, et des petits cruchons bruns de
Seltz-wasser. Que d'Anglaises! Et que me parle-t-on
de leur réserve gourmée? Elles arrivent, me dit
Léon, de *Parsifal.* Rouges, le chapeau mal remis,
des cheveux admirables noués en corde disgra-
cieuse, elles crient, pleurent leurs souvenirs, lèvent
les bras et mangent sans relâche. Je les regarde,
moi qui n'ai pas faim, moi qui ne pleure pas, moi
qui croise frileusement les mains dans mes manches
larges avec l'espoir dégoûté de l'ivrogne : « Est-ce
que je serai comme cela dimanche? » A dire vrai,
je me le souhaite.

Marthe, silencieuse, toise les dîneurs de ses yeux
insolents. Elle doit trouver que ça manque de
chapeaux. Mon beau-frère continue à prendre des

notes! Tant de notes! On le regarde. Moi aussi,
je le regarde. Comme il a l'air Français!

Avec un tailleur anglais, un bottier suédois, un
chapelier américain, ce joli homme réalise le type
français dans toute sa correction incolore. La douceur menue des gestes trop fréquents, la juste
proportion des traits d'un visage régulier et dénué
de caractère, cela suffit-il à dénoncer en lui le
Français-type, sans grandes qualités, et sans grands
défauts?

Marthe, brusque, me tire de ma rêverie ethnolo-
gique.

— Ne parlez pas tous à la fois, s'il vous plaît.
Vrai, ce qu'on se rase ici. Il n'y a pas une usine
encore plus folâtre?

— Si, dit Léon, qui consulte son Baedeker. Le
restaurant de Berlin. C'est plus chic, plus français, mais moins couleur locale.

— Tant pis pour la couleur locale. Je viens
pour Wagner et pas pour Bayreuth. Alors nous
irons demain au Berlin...

— ... Nous paierons dix marks une truite au bleu...

— Et encore quoi? Maugis est là pour... pour
une addition... ou deux.

Je me décide à intervenir.

— Mais, Marthe, ça me gêne, moi, de me faire
inviter par Maugis...

— Eh bien, ma chère, pendant ce temps-là tu
iras au Duval...

Léon, ennuyé, pose son crayon :

— Voyons, Marthe, que vous êtes cassante!
D'abord, il n'y a pas de Bouillon Duval...

Très nerveuse, Marthe jette un rire aigre.

— Ah! ce Léon! Il n'y a que lui pour avoir des
mots de situation... Allons, Annie, ne fais pas la
martyre. C'est ce poulet aux poires qui m'a mise
hors de moi... Venez-vous, tous les deux? Je suis
vannée, je rentre.

Elle ramasse, d'un geste maussade, sa jupe traînante et floconneuse, et balayant la terrasse d'un
regard de dédain :

— C'est égal, quand on aura un petit Bayreuth
à Paris, ce que ce sera plus chic, mes enfants... et
plus couru!

Ce qu'a été cette première nuit... il vaut mieux
n'en point parler. Tapie au milieu du dur matelas, hérissée au contact des draps de coton, je respirais avec crainte le relent — imaginaire? — de
chou qui filtrait sous les portes, par les fenêtres,
à travers les murs. Je finis par vaporiser tout un
flacon d'œillet blanc dans mon lit, et je me dis-
persai dans un sommeil illustré de rêves volup-
tueux et ridicules, — toutes les pages d'un mauvais livre un peu caricatural — une débauche en
costume Louis-Philippe; Alain, en nankin, et plus
entreprenant qu'il ne le fut jamais. Moi, en or-
gandi, plus révoltée que je ne le songeai jamais...
Mais aussi ce pantalon à pont rendait tout consen-
tement impossible.

LE hasard des places louées presque au dernier moment, m'a séparée de Marthe et de Léon. Je m'en félicite sans le dire. Debout dans la sourde lumière des lampes rondes en collier rompu autour de la salle, j'analyse avec précaution l'odeur de caoutchouc brûlé et de cave moisie. La laideur grise du temple ne me choque pas. Tout cela — et la scène basse, et l'abîme noir d'où jaillira la musique — trop décrit, me semble à peine nouveau. J'attends. Dehors, la seconde fanfare sonne (l'appel de Donner, je crois). Des étrangères retirent leur épingle à chapeau, d'un geste blasé et familier. Je les imite. Comme elles, je regarde vaguement la Fürstenloge où paradent des ombres noires, où se penchent de grands fronts dénudés... Cela n'a point d'intérêt. Il faut attendre encore un peu, que la dernière porte matelassée se soit ouverte une dernière fois, rabattant un petit volet de jour bleu, que la dernière vieille lady ait toussé une bonne fois, qu'enfin le *mi* bémol monte de l'abîme et gronde comme une bête cachée...

— Evidemment, c'est très beau, décrète Marthe. Mais ça manque d'entractes.

Je frémis encore et je cache mon émotion comme un désir sensuel. Aussi réponds-je simplement que ça ne m'a pas paru très long. Mais ma belle-sœur, qui inaugure en vain une robe orangée, de la même nuance que ses cheveux, prise peu ce « prologue-féerie ».

— Les entractes, ici, ma chère, ça fait partie du théâtre. Une chose à voir ; demandez à tous les habitués. On y mange, on s'y rencontre, on échange longuement ses impressions... Le coup d'œil est à peu près unique. N'est-ce pas, Maugis ?

Le grossier personnage lève imperceptiblement ses lourdes épaules :

— « Unique », c'est le mot que je cherchais. N'empêche qu'ils n'ont pas la trouille de servir ici, en lieu et place de bière blonde, cette f...ichue lavasse à l'encaustique. Venir à Bayreuth pour boire ça, c'est à se les rouler dans la farine !

Ecroulé, débraillé, je cherche en vain sur lui la marque réhabilitante du fanatisme. Maugis est un de ceux qui ont « découvert » Wagner en France. Il l'a imposé d'année en année, par des chroniques têtues, où le scepticisme déboutonné côtoie étrangement un lyrisme d'alcoolique. Je sais que Léon méprise son vocabulaire ballonné et canaille et que Maugis traite Léon « d'homme du monde »... Ils s'entendent à merveille pour le reste, surtout depuis deux mois.

Perdue dans cette salle énorme de la restauration du théâtre, je me sens si loin... ce n'est pas assez dire, si... séparée de tout! Le démon de la musique m'habite encore, la plainte des ondines pleure en moi, et lutte avec l'assourdissant cliquetis de vaisselle et de fourchettes. Des serveurs affolés, en habits noirs positivement raidis de graisse, courent les mains chargées, et la mousse rosâtre des bocks se verse dans le jus des viandes...

— Comme si ce n'était pas assez de leur « gemischtes-compote », grogne Marthe pleine de rancune. Ce Loge était particulièrement médiocre, n'est-ce pas, Maugis?

— Pas particulièrement, oh! non, repart celui-ci avec des mines d'indulgence bouffonne. Je l'ai entendu il y a dix-sept ans dans le même rôle, et je le trouve indiscutablement meilleur aujourd'hui.

Marthe n'écoute pas. Elle braque ses yeux, puis son face-à-main, vers le fond de la salle :

— Mais... mais parfaitement, c'est elle!

— Qui, elle?

— La Chessenet, donc! Avec des gens que je ne connais pas. Là, tout au fond, la table contre le mur.

Péniblement remuée, comme tirée en arrière vers ma vie ancienne, j'explore avec crainte l'échiquier des tables : ce chignon d'un blond pâle et rose, c'est bien celui de Valentine Chessenet.

— Dieu, quel ennui! soupiré-je découragée.

Marthe baisse son face-à-main pour me dévisager.

— Qu'est-ce que ça peut te faire? Tu ne crains pas, ici, qu'elle te repige ton Alain?

Je me cabre légèrement.

— Repiger? cela veut bien dire « piger une deuxième fois » et je ne sache pas...

— On ne dit pas « sacher », on dit « sacquer », explique Maugis, bienveillant et pâteux.

Marthe se tait, serre la bouche, et m'observe en coin. Ma fourchette tremble un peu dans ma main, Léon mordille son crayon d'or, jette autour de lui un œil de reporter. Brusque, violente, l'envie me monte de prendre ce mollasse par la nuque et de frapper contre la table sa jolie figure sans énergie... Puis mon sang soulevé retombe, et je demeure étonnée d'un si ridicule transport... La musique ne me vaut rien, je crois.

La vue de cette Chessenet m'a ramenée vers Alain, que je vois, — l'instant d'un éclair, — sans vie, endormi et blanc comme un mort...

La maîtresse de mon mari!... Si elle avait été la maîtresse de mon mari!... Depuis deux heures je me répète cela, sans en pouvoir tirer une image, bien précise. Je ne puis évoquer le souvenir de madame Chessenet autrement qu'en costume de soirée, ou en tenue de concert élégant, coiffée d'un de ces chapeaux trop petits dont elle essaie de se créer un genre bien à elle... le genre Chessenet!

Pourtant, si elle a été la maîtresse de... elle a dû laisser tomber sa robe étroite, enlever délicatement ce chapeau trop petit... Mais ma tête fatiguée n'invente pas plus loin. Et puis, je ne me figure pas non plus Alain faisant, comme on dit, la cour à une femme. Il ne m'a pas fait la cour, à moi. Il ne fut jamais suppliant, pressant, inquiet, jaloux. Il m'a donné... une cage. Cela m'a suffi si longtemps...

Sa maîtresse! Comment cette idée ne m'inspiret-elle pas contre mon mari plus de rancune désolée? Est-ce que je ne l'aimerais plus du tout?

Je ne peux plus, je suis fatiguée. Quittons tout cela. Songe, Annie, que tu es maintenant seule et libre, pour des semaines encore... Libre! le singulier mot... Il y a des oiseaux qui se croient libres, parce qu'ils sautillent hors de la cage. Seulement, ils ont l'aile rognée.

— Comment, tu es encore couchée?

Toute prête, j'entrais chez Marthe, pour lui demander de visiter un peu Bayreuth le matin; je la trouve encore au lit, potelée et blanche dans ses cheveux roux. A mon entrée, elle tourne d'un brusque saut de carpe sa croupe ronde sous les draps. Elle bâille, elle s'étire... Elle couche avec toutes ses bagues... Elle me jette, sous les sourcils froncés, un rapide regard gris :

— Tu sens déjà la rue! Où vas-tu?

— Nulle part, je voulais me promener seulement. Tu es souffrante?

— Mal dormi, migraine, flemme...

— Tant pis pour moi. J'irai toute seule.

Je sors après une poignée de main à ce pauvre
Léon, qui n'a pas quitté son guéridon d'acajou —
aussi laid que le mien — où il dépêche, avant le
grand déjeuner, ses soixante lignes...

Toute seule dans la rue! Je n'oserai rien acheter, je parle trop mal l'allemand. Je regarderai.
Voilà déjà un magasin modern style qui est tout
un monde... un monde wagnérien. Les Filles du
Rhin, pour la photographie, se sont enlacées
épaule à épaule; trois affreuses commères, dont
l'une louche, et coiffées « en fleurs » comme ma
cuisinière luxembourgeoise à son jour de sortie...
Au bord du cadre pyrogravé, sinuent des algues...
ou des lombrics. Le tout : dix marks. C'est
donné.

Pourquoi tant de portraits de Siegfried Wagner?
Et de lui seul? Les autres enfants du « feu à Co-
sima », comme l'appelle Maugis, sont cependant
moins vilains que ce jeune homme au nez caricatural et débonnaire. Que Siegfried conduise l'orchestre, et même le conduise assez mal, cela ne
constitue pas une excuse suffisante... L'odeur du
chou persiste... Ces rues n'ont aucun caractère et
j'hésite, en haut de l'Opernstrasse, à tourner vers
la droite ou vers la gauche...

> L'enfant perdu que sa mère abandonne
> Trouve toujours un asile au saint lieu...

chante derrière moi une voix d'oiseau effronté.

— Claudine!... Oui, je ne sais où aller. J'ai si peu l'habitude de sortir seule.

— C'est pas comme moi. A douze ans, je trottais tel un petit lapin..., à quoi je ressemblais, d'ailleurs, par la blancheur du derrière.

Le... postérieur tient vraiment une place excessive dans la conversation de Claudine! Il ne s'en faut guère que de cela qu'elle me plaise tout à fait.

Je songe, en marchant auprès de cette libre créature, qu'Alain me permettait de voir chez elles des femmes douteuses, pas même douteuses! comme cette Chessenet, comme la Rose-Chou, qui s'assure, avant, que ses amants sont « nés », et qu'il me défendait Claudine, qui est charmante, qui adore son mari et ne le cache pas. N'avais-je pas plus à perdre auprès de celles-là que de celle-ci?...

— Au fait, Claudine, je m'étonne de vous rencontrer sans Renaud, et sans Fanchette.

— Fanchette dort, et d'ailleurs la poussière de charbon lui noircit les pattes. Mon Renaud travaille à sa *Revue diplomatique,* où il engueule Delcassé à l'instar du poisson pourri. Alors, je suis sortie pour ne pas le déranger, d'autant plus que j'ai le vertigo, ce matin.

— Ah! vous avez le...

— Le vertigo, oui. Mais vous-même, Annie, en

voilà des façons de petite indépendante, toute seule dans une ville étrangère, sans gouvernante! Et votre rouleau de cuir? Et le carton à dessins?

Elle me taquine, drôlette dans sa jupe écourtée, son canotier en grosse paille penché sur le nez, les cheveux courts en boucles rondes, son visage triangulaire tout brun sur la chemisette blanche en soie chinoise. Ses beaux yeux presque jaunes l'éclairent toute, comme les feux allumés en plein champ.

— Marthe se repose, répondis-je enfin. Elle est fatiguée.

— De quoi? de se faire peloter par Maugis? Oh! qu'est-ce que j'ai dit? se reprend-elle, la main hypocritement à plat sur la bouche, comme pour refouler la phrase imprudente...

— Vous croyez?... Vous croyez qu'elle... qu'il lui fait ce que vous dites?

Ma voix a tremblé. Claudine ne m'apprendra rien. Sotte que je suis! Elle secoue les épaules et tourne sur un pied :

— Ah bien! si vous écoutez tout ce que je dis... Marthe est comme un tas de femmes que je connais, ça l'amuse qu'on la viole un peu devant tout le monde. En tête à tête, c'est autre chose. Allez, elles n'en sont pas plus malhonnêtes pour ça.

Un si beau raisonnement ne me convainc pas. « Devant tout le monde » c'est déjà trop...

Je marche pensivement à côté de Claudine. Nous

croisons des Anglaises — encore! — et des Américaines, en dentelle et en soie, dès dix heures du
matin. On regarde beaucoup ma compagne. Elle
s'en aperçoit et rend coup d'œil pour coup d'œil
avec un aplomb indifférent. Une seule fois, elle se
retourne vivement, et me tire par la manche :

— La jolie femme! Vous avez vu? cette blonde,
avec des yeux couleur café brûlé?

— Non, je n'ai pas fait attention.

— Petite gourde, va! Où allons-nous?

— Je n'allais nulle part. Je voulais voir un peu
la ville.

— La ville? pas la peine. C'est rien que des
cartes postales, et le reste en hôtels. Venez, je sais
un joli jardin : on se mettra assis par terre...

Sans force devant sa volonté turbulente, je
mesure mon pas sur son pas vif et long. Nous
suivons une laide rue, nous dépassons le Schwarzes
Ross, puis une grande place déserte, provinciale,
agréable et triste, tilleuls et statues...

— Qu'est-ce que c'est, cette place, Claudine?

— Ça, je ne sais pas. La place de la Margrave.
Quand je ne suis pas sûre, je baptise toujours :
de la Margrave. Venez, Annie, nous arrivons.

Une petite porte au coin de la grande place
ouvre un jardin fleuri et bien ordonné, bientôt
élargi en parc, un parc un peu négligé, qui pourrait
aboutir à quelque château engourdi et frais d'une
province de France.

— Ce parc, c'est?

— Le parc de la Margrave! affirme Claudine avec aplomb. Et voici encore un banc de la Margrave, un soldat de la Margrave, une nounou de la Margrave... C'est vert, pas? ça repose. On croirait Montigny... en beaucoup moins bien.

Nous nous asseyons côte à côte sur la pierre adoucie d'un vieux banc.

— Vous aimez votre Montigny? un beau pays?

Les yeux jaunes de Claudine s'allument, puis se noient, elle tend les bras d'un geste d'enfant...

— Un beau pays? J'y suis heureuse comme une plante dans la haie, comme un lézard sur son mur, comme... je ne sais pas, moi. Il y a des jours où je ne rentre pas entre le matin et la nuit... où *nous* ne rentrons pas, corrige-t-elle. J'ai appris à Renaud à connaître combien ce pays est beau. Il me suit.

Sa tendresse vibrante pour son mari me jette, une fois de plus, dans une mélancolie tout près des pleurs.

— Il vous suit... oui, toujours!

— Mais je le suis aussi, fait Claudine, surprise. Voilà, nous nous suivons... sans nous ressembler.

Je penche la tête, je gratte le sable du bout de mon en-cas :

— Comme vous vous aimez!

— Oui, répond-elle simplement. C'est comme une maladie.

Elle rêve un moment, puis ramène ses yeux vers moi.

— Et vous? interroge-t-elle brusquement.

Je tressaille.

— Et moi... quoi?

— Vous ne l'aimez pas, votre mari?

— Alain? Mais si, naturellement...

Je me recule, mal à l'aise. Claudine se rapproche, impétueusement :

— Ah! « naturellement »? Ben, si vous l'aimez naturellement, je sais ce que ça veut dire! D'ailleurs...

Je voudrais l'arrêter, mais j'arrêterais plus facilement une ponette emballée!

— D'ailleurs, je vous ai vus souvent ensemble. Il a l'air d'un bâton, et vous d'un mouchoir mouillé. C'est un maladroit, un nigaud, un brutal...

Je me gare du geste comme devant un poing levé...

— ... Oui, un brutal! on lui a donné une femme, à ce rouquin-là, mais pas avec la manière de s'en servir, ça sauterait aux yeux d'un enfant de sept mois! « Annie, on ne fait pas ci... ce n'est pas l'usage, Annie, on ne fait pas ça... » Moi, à la troisième fois, je lui aurais répondu : « Et si je vous fais cocu, ça sera-t-y la mode? »

J'éclate, à la fois de rire et de larmes, tant elle a lancé le mot avec une furie comique. La singulière créature! Elle s'est enflammée au point d'enlever son chapeau, et secoue ses cheveux courts pour se rafraîchir.

Je ne sais comment me reprendre. J'ai encore

envie de pleurer, et plus du tout envie de rire, Claudine se tourne vers moi, avec une figure sévère qui la fait ressembler à sa chatte :

— Il n'y a pas de quoi rire! Il n'y a pas non plus de quoi pleurer! Vous êtes une petite gnolle, un joli chiffon, une loque de soie, et vous n'avez pas d'excuse, puisque vous n'aimez pas votre mari.

— Je n'aime pas mon...

— Non, vous n'aimez personne!

Son expression change. Elle se fait plus sérieuse :

— Car vous n'avez pas d'amant. Un amour, même défendu, vous eût fait fleurir, branche souple et sans fleurs... Votre mari! mais si vous l'aviez aimé, au beau sens du mot, aimé comme j'aime! dit-elle — ses mains fines ramenées sur la poitrine avec une force et un orgueil extraordinaires — vous l'auriez suivi sur la terre et sur la mer, sous les coups et les caresses, vous l'auriez suivi comme son ombre et comme son âme!... Quand on aime d'une certaine manière, reprend-elle plus bas, les trahisons elles-mêmes deviennent sans importance...

J'écoute, tendue vers elle, vers sa voix révélatrice de petite prophétesse, j'écoute avec une désolation passionnée, les yeux sur les siens qui regardent loin. Elle s'apaise et sourit comme si elle m'apercevait seulement.

— Annie, il y a dans les champs, chez nous, une graminée fragile qui vous ressemble, à tige mince, avec une lourde chevelure de graines qui la courbe

tòute. Elle a un joli nom que je vous donne quand
je pense à vous, « la mélique penchée ». Elle
tremble au vent, elle a peur; elle ne se redresse
que lorsque ses grains sont vides...

Son bras affectueux entoure mon cou.

— Mélique penchée, que vous êtes charmante,
et quel dommage! Je n'ai pas vu de femme,
depuis... depuis longtemps, qui vous valût. Regardez-moi, fleurs de chicorée, yeux plus cillés
qu'une source dans l'herbe noire, Annie à l'odeur
de rose...

Toute brisée de chagrin, toute amollie de tendresse, j'appuie ma tête à son épaule, je lève vers
elle mes cils encore mouillés. Elle penche son
visage et m'éblouit de ses yeux fauves, si domi-
nateurs soudain que je ferme les miens, accablée...

Mais le bras affectueux se dérobe, me laisse
chancelante...\ Claudine a sauté sur ses pieds. Elle
s'étire en arc, frotte ses tempes d'une main rude...

— Trop fort! murmura-t-elle. Un peu plus...
Et moi qui ai tant promis à Renaud...

— Promis quoi?... demandé-je, encore égarée.

Claudine rit à mon nez d'un drôle d'air, montrant ses dents courtes.

— De... de... d'être rentrée à onze heures, mon
petit. Applettez, nous arriverons un peu juste.

LE premier acte de *Parsifal*, qui vient de finir, nous rend au grand jour désenchantant. Pendant les trois journées qui ont suivi *Rheingold*, ces longs entractes, qui font la joie de Marthe et Léon, ont toujours coupé, de la manière la plus inopportune et la plus choquante, mon illusion ou mon ivresse. Quitter Brünnhilde abandonnée et menaçante, pour retrouver ma belle-sœur fanfreluchée, la tatillonnerie de Léon, la soif inextinguible de Maugis, la nuque décolorée de Valentine Chessenet, et les « Ach! » et les « Colossal! » et les « Sublime! » et le lot d'exclamations polyglottes prodiguées par tant de fanatiques sans discrétion, non, non!

— Je voudrais un théâtre pour moi toute seule, avoué-je à Maugis.

— Voui, répondit-il, quittant une minute la paille de son grog bouillant, vaut mieux entendre ça que d'être cul-de-jatte. Vous êtes un type dans le genre de Louis de Bavière. Voyez où l'a conduit cette fantaisie malsaine : il est mort après avoir construit des résidences d'un style qui n'a de nom que dans la plus départementale pâtisserie ! Méditez sur ce triste résultat des mauvaises habitudes solitaires.

Je sursaute ! Je laisse là cet alcoolique, et refusant la trop grosse glace au citron que me tend Claudine, je vais m'adosser contre un pilier du péristyle, face au soleil bas. Les nuages rapides se hâtent vers l'est, et leur ombre est tout de suite froide. Sur Bayreuth, les fumées noires des usines se replient, lourdes, jusqu'à ce qu'un vent plus vigoureux les boive, d'un souffle.

Un groupe de Françaises — corsets droits qui écrasent les hanches, jupes trop longues rejetées en arrière et plaquées en avant — parle haut et pointu, l'esprit très libre et loin de la musique souveraine, avec cette agitation froide qui les fait charmantes une minute et agaçantes au bout d'un quart d'heure. Ce sont de jolies créatures. Même sans les entendre, on les devine d'une race faible et nerveuse, méprisantes et sans volonté durable, si différentes, par exemple, de cette Anglaise rousse et calme, qu'elles épluchent du haut en bas et qui les ignore, assise sur un degré du perron, montrant ses grands pieds mal chaussés avec une tranquillité pudique... A mon tour elles me regardent et chuchotent.

La plus renseignée explique : « Je crois que c'est une jeune veuve, qui vient ici à chaque festival pour un ténor de la maison... » Je souris à cette imagination agile et calomniatrice, et m'écarte vers Marthe qui, animée, blanche et mauve, appuyée à l'ombrelle haute, parade dans sa grâce la plus trianon, reconnaît des Parisiens, lance des bonjours, inventorie des chapeaux... Et toujours cet odieux Maugis qui frôle sa jupe! Je préfère rebrousser chemin vers Claudine.

Mais Claudine bavarde ferme — un énorme gâteau bourré de crème entre ses doigts dégantés — avec une étrange petite créature... Ce brun visage égyptien, où la bouche et les yeux semblent tracés de deux coups de pinceau parallèles, encadré de boucles rondes et dansantes comme celles d'une petite fille de 1828, mais c'est mademoiselle Polaire? Tout de même, Polaire à Bayreuth, ceci passe l'invraisemblable.

Souples, bougeantes, au bord du front, dans la raie, un petit nœud de ruban — blanc pour Polaire, noir pour Claudine — les gens qui les contemplent avidement les déclarent pareilles. Je ne trouve pas : les cheveux de Claudine moutonnent moins sages, plus garçonniers, ses regards, qui n'évoquent pas l'Orient comme les yeux de Polaire, — ces admirables yeux de fellahine, — ses regards ont plus d'ombre, plus de défiance... et plus de servage. N'importe, elles se ressemblent. Passant derrière elles, Renaud caresse avec une tendresse amusée, vite, leurs deux toisons courtes; puis, riant de mon regard stupéfait :

— Mais oui, Annie, parfaitement, c'est Polaire, notre petite Lily.

— Leur Tiger Lily, complète Maugis, qui nasille et mime un cake-walk avec d'extravagants déhanchements de minstrel dont j'ai honte de rire :

She draws niggers like a crowd of flies,
She is my sweetest one, my baby Tiger Lily!

Me voilà bien renseignée!

Insensiblement, je me suis trop approchée des deux amies, curieuse... Claudine m'a vue. Un geste impérieux m'appelle. Très embarrassée de moi-même, je me trouve devant cette petite actrice qui me regarde à peine, tout occupée à se tenir sur un pied, à jeter en arrière ses cheveux bruns aux reflets fauves, à expliquer fiévreusement je ne sais quoi, avec une voix de gorge prenante et pinçante :

— Vous comprenez, Claudine, si je veux faire du théâtre sérieux, il faut que je connaisse tout le théâtre sérieux d'avant moi. Alors, je suis venue à Bayreuth pour m'instruire.

— C'était votre devoir, approuve fermement Claudine, dont les yeux havane expriment la jubilation.

— On m'a logée tout au bout de la ville, au diable, là-bas, à la Cabane Bambou...

« A la Cabane Bambou! » Quel singulier nom

d'hôtel! Claudine voit mon ahurissement, et me renseigne avec une bonté angélique :

— C'est le bambou de la Margrave.

— Ça ne fait rien, continue Polaire, je ne regrette pas mon voyage, quoique!... vous savez, chez madame Marchand, c'était autrement monté qu'ici, et puis, leur Wagner, il y a pas de quoi se taper le derrière par terre!... Tant qu'à sa musique, je m'en bats l'œil et le flanc droit, de la patrouille!

— ... Comme s'exprime Annie, glisse Claudine en me regardant.

— Ah! Madame dit ça aussi? Enchantée de la rencontre... Qu'est-ce que je disais donc? Ah! oui. Moi, ça fait déjà deux fois que je viens à *Parsifal*, pour m'assurer qu'il y a du sale monde partout. Vous avez vu, Kundry, ce bandeau qu'elle a autour du front, et puis les fleurs, et puis le voile qui pend? Eh bien, c'est juste la coiffure que Landorff m'avait inventée pour le Wintergarten de Berlin, l'année que je me suis tant barbée à chanter le « *petit Cohn* »!

Polaire triomphe et souffle un instant, oscillante sur ses talons hauts, sur sa taille anormale qu'elle pourrait ceindre d'un faux col.

— Vous devriez réclamer, conseille Claudine avec chaleur.

Polaire tressaille comme un faon et repart :

— Jamais, c'est au-dessous de moi... (ses beaux yeux s'assombrissent). Moi, je ne suis pas une femme comme les autres. Et puis quoi? Réclamer

à ces Boches? oh! là là... ousqu'est ma brosse à
reluire? Et puis, je n'en finirais pas. Encore dans
leur *Parsifal*, tenez, au trois, quand le bouffi
trempe dans l'eau et que le gonze poilu est en
train de l'arroser, eh bien, la pose du type, les
mains jointes à plat et le corps de trois quarts c'est
mon geste de la *Chanson des Birbes*, qu'il m'a
chipé. On peut le dire, que je souffre! Et tout
mon côté, Claudine, droit, de corset, que les ba-
leines sont cassées!

J'étudie son séduisant visage, d'une mobilité
cinématographique, qui exprime tour à tour l'exal-
tation, la révolte, une férocité nègre, une mélancolie énigmatique, ombres qu'éparpille un rire
brusque et secoué, tandis que Polaire lève son
menton aigu comme un chien qui hurle à la lune.
Puis elle nous plante là, sur un adieu enfantin
et sérieux de petite fille bien élevée.

Je suis des yeux, un moment, sa démarche vive,
son adresse à se faufiler entre les groupes, avec
un tour de reins preste, des cassures de gestes
qui font songer à celles de sa syntaxe, une incli-
naison de bête savante marchant sur ses pattes de
derrière...

— Quarante-deux de taille! songe Claudine.
C'est une pointure de soulier, non pas de ceinture.

— Annie?... Annie, je te parle!
— Oui, oui, j'entends! dis-je en sursaut.

— De quoi est-ce que je viens de te parler?

Sous l'œil inquisiteur de ma belle-sœur, je me trouble et détourne la tête.

— Je ne sais pas, Marthe.

Elle hausse ses épaules, presques visibles en rose sous un corsage de dentelle blanche à emmanchures basses. Un corsage d'une indécence folle — mais, puisqu'il est montant, Marthe se montre ainsi dans la rue, très à l'aise, calme sous le regard des hommes. Elle me gêne.

Armée d'un vaporisateur, elle parfume à l'excès sa chevelure d'un rouge rose. Les beaux cheveux vivants et indociles comme elle-même!

— Assez, Marthe, assez, tu sens trop bon.

— Jamais trop! Moi, d'abord, j'ai toujours peur qu'on dise que je sens la rousse! Maintenant que tu es descendue de ton nuage, je recommence : Nous dînons ce soir à Berlin, au restaurant de Berlin, grande bête!... C'est Maugis qui nous rince.

— Encore!

Le mot est parti malgré moi, non sans que Marthe l'ait croisé d'un regard aussi pointu qu'un coup de corne. Plus brave que moi, elle prend l'offensive :

— Quoi, « encore! » dirait-on pas que nous vivons aux crochets de Maugis? C'est son tour, nous l'avons invité avant-hier.

— Et hier soir?

— Hier soir? c'est autre chose; il voulait nous

montrer Sammet, gargote historique. D'ailleurs,
ce n'était pas mangeable, dans cette boîte-là, de la
viande dure et du poisson mou; il nous devait
bien un dédommagement.

— A vous, peut-être, mais pas à moi.

— C'est un homme bien élevé; il ne nous sépare pas.

— Bien élevé... j'aimerais autant que cette fois-
ci, il se montrât élevé... comme les autres jours.

Marthe peigne sa nuque à petits coups de lissoir
rageurs.

— Charmant! c'est de la bonne ironie. Décidément tu te formes. C'est la fréquentation de Claudine?

Elle a accentué sa phrase avec tant d'acidité
que je frémis comme si elle m'eût effleurée du
bout des ongles...

— J'ai moins à perdre à fréquenter Claudine,
que toi à voir Maugis si souvent.

Elle se retourne sur moi, son chignon en casque,
la coiffe de la flamme tordue.

— Des conseils? Tu as un rude culot! Oui, un
rude culot de te mêler de me guider, de fouiner
dans mes affaires!... J'ai un mari pour ça, tu sais?
Et je m'étonne que tu oses trouver mauvais ce
que Léon accepte comme parfaitement correct!

— Je t'en prie Marthe...

— Assez, hein? et que ça ne t'arrive plus!
M. Maugis est, au fond, un ami très dévoué.

— Marthe, je te supplie de ne pas continuer.

Injurie-moi si tu veux, mais ne pose pas « Monsieur Maugis » en ami parfaitement dévoué et correct, ni Léon en mari arbitre... c'est me croire par trop niaise!

Elle ne s'attendait pas à cette conclusion. Elle retient son souffle précipité. Elle lutte un long instant contre elle-même, silencieusement, durement, et se maîtrise enfin avec une puissance qui me prouve la fréquence de telles crises.

— Allons, allons, Annie... n'abuse pas de moi. Tu sais quelle soupe au lait je fais, et je crois que tu me taquines exprès...

Elle sourit, les coins de sa bouche encore tremblants :

— Tu viens dîner avec nous, n'est-ce pas!

J'hésite encore. Elle me prend la taille, adroite et caressante comme lorsqu'elle voulait dérider Alain.

— Tu dois cela à ma réputation. Songe donc, on pourra croire en nous voyant tous quatre, que c'est à toi que Maugis fait la cour!

Nous revoilà bonnes amies, mais je sens notre amitié qui craque comme une gelée blanche au soleil. Je suis très fatiguée. Cette petite scène a décidé la grande migraine, suspendue et menaçante depuis hier, à s'abattre sur ma pauvre tête. N'importe, je ne me sens pas mécontente. Il y a un mois seulement, je n'aurais pas eu le courage de dire à Marthe la moitié de ce que je pensais...

La voiture nous emporte vers *Le Vaisseau Fantôme* sans que j'ouvre la bouche, abêtie et le doigt sur la tempe. Léon s'apitoie :

— Migraine, Annie?

— Migraine, hélas.

Il hoche la tête et me considère de ses doux yeux d'animal. Moi aussi, depuis quelque temps, j'ai grande pitié de lui. Si Marthe porte les culottes, il pourrait bien, lui, porter... Claudine dirait le mot tout à trac. Ma belle-sœur, paisible à ma droite, s'enfarine les joues pour lutter contre la chaleur.

— Nous ne verrons pas Maugis, là-haut, reprend mon beau-frère, il garde la chambre.

— Ah! fait Marthe indifférente.

Sa lèvre s'est crispée comme pour retenir un sourire. Pourquoi?

— Il est malade? demandé-je. Peut-être un peu trop de grogs hier soir?

— Non. Mais il traite *Le Vaisseau Fantôme* de cochonnerie sentimentale, de raclure italo-allemande, et tous les interprètes de « pieds mal lavés ». Je vous prie de croire, Annie, que je rapporte là ses paroles expresses. Il ajoute, d'ailleurs, que la seule pensée du pêcheur Daland, père de Senta, lui donne grand mal au ventre.

— C'est un genre de critique un peu particulier, dis-je sans aménité.

Marthe regarde ailleurs et ne semble pas désireuse de poursuivre la conversation. A notre

gauche, les landaus vides redescendent au grand
trot, dans un flot de poussière, et nous montons
presque au pas, engrenés dans la file... Ce théâtre
de briques (c'est vrai, Claudine a raison, il ressemble à un gazomètre), la foule claire qui l'entoure, la haie d'indigènes bêtement ricaneurs,
tout ce décor vu quatre fois seulement, mais inva-
riable, j'éprouve, à le retrouver, l'impatience
presque physique qui me saisissait certains jours,
à Paris, en regardant de ma chambre l'horizon
court et intolérablement connu. Mais, dans ce
temps-là, j'avais des nerfs moins exigeants, un
maître attentif à m'anémier, la pensée craintive
et les yeux bas.

Je n'avouerai qu'à moi-même, à ces feuillets inutiles, mon désenchantement de Bayreuth. Il n'y
a pas assez loin d'un entracte de *Parsifal* à un thé
parisien, à un cinq heures chez ma belle-sœur
Marthe, ou chez cette abominable Valentine Chessenet. Les mêmes ragots, la même fougue de potins et de médisance, voire de calomnie; le même
papotage, qui s'amuse de toilettes, de compositeurs
avancés, de gourmandise et d'indécence.

De nouveau, j'aspire à m'en aller. A Arriège, je
regardais la faille de lumière entre deux cimes;
ici, j'accompagne d'un regard perdu la fuite des
fumées vers l'est... Où fuirai-je le trop pareil, le
trop connu, le médiocre, le méchant? Peut-être
aurais-je dû. comme le disait Claudine, accompagner Alain, malgré lui? Mais non, car j'aurais re-

trouvé avec lui, en lui, tout ce que je fuis à présent... Hélas! la migraine est une triste et lucide conseillère, et je l'écoute plus que je ne fais le *Hollandais volant*... L'éther, l'oubli, l'évanouissement frais... cela seul m'attire... Un mark dans la main du vieil « ouvreur », achète ma liberté, autorise ma fuite silencieuse... « C'est une dame malade... »

Je cours, je monte en voiture, je suis dans ma chambre où Toby dort tendrement sur mes pantoufles, et s'écrie de tendresse en me revoyant si tôt. Il m'aime, lui!... Moi aussi, je l'aime. Je me regarde mieux, à présent. Isolée de cet homme blanc dont la peau brillante me faisait si noire, je me trouve plus jolie, et toute pareille, ainsi que i'a dit Marthe, à une jarre élancée de grès fin, où trempent et fleurissent deux corolles bleues de chicorée sauvage. Claudine parlait ainsi comme on songe tout haut... « Fleurs bleues, regardez-moi, yeux plus cillés qu'une source dans l'herbe noire... », mais son bras ami s'est dérobé...

Enfin, enfin, quasi dévêtue, à plat ventre sur le lit fermé et le divin flacon sous mes narines... Tout de suite, l'envolement, la piqûre fraîche de gouttelettes d'eau imaginaires sur toute ma peau; le bras du méchant forgeron qui se ralentit... Mais je veille à présent, du fond de ma demi-ivresse, je ne veux pas le sommeil, la syncope dont on sort écœurée, je ne veux du petit génie de l'éther, rusé consolateur au sourire équivoque et doux, que le

battements d'ailes en éventail, que l'escarpolette
émouvante qui me balance avec mon lit...

L'aboiement rageur et bref du petit chien m'é-
veille, glacée; je tâtonne pour trouver ma montre.
Bah! ils ne me chercheront guère là-haut, près du
« gazomètre »... Ils s'occupent de tant de choses et
si peu de moi... Mon égarement, mon sommeil
brusque de femme enivrée n'ont pas duré plus
d'une heure. J'aurais cru bien plus! « Tais-toi, tais-
toi donc, Toby, j'ai des oreilles si fragiles en ce
moment... »

Il se tait à regret, pose son nez carré sur ses
pattes, et gonfle ses bajoues trop longues en
aboyant encore à l'intérieur. Bon petit gardien,
petit ami noir, je t'emmènerai partout... Il écoute,
j'écoute aussi; une porte se referme dans la
chambre voisine, celle de Marthe. La toute préve-
nante madame Meider, sans doute, qui vient
« rancher », ouvrir les petites boîtes d'argent,
étirer les journaux illustrés de Paris, jetés en boule
dans la corbeille.

Hier, en traversant le vestibule, j'ai surpris dans
la cuisine quatre petites Meider, en tabliers à
bretelles, qui lissaient d'une main soigneuse et sale
une *Vie en Rose* chiffonnée. Elles y apprendront
le français, les quatre petites Meider, et autre
chose aussi.

Non, ce n'est pas madame Meider. On parle
français... Mais c'est Marthe! Marthe qui vient

prendre de mes nouvelles : je n'attendais pas d'elle une sollicitude si dévouée. Marthe et une voix d'homme. Léon? non.

A demi rhabillée, assise sur mon lit les jambes pendantes, je tâche d'entendre, sans y parvenir. L'éther bourdonne encore, d'une aile ralentie, dans mes oreilles...

Mon chignon tombe. Une épingle d'écaille glisse sur ma nuque, froide et douce comme un petit serpent. A quoi ressemblé-je, avec ce corsage ouvert, ces jupes remontées qui laissent voir ma peau sombre, ces pieds tout chaussés?... La glace verdâtre réfléchit mon image en désordre, bouche pâlie, yeux d'eau froide tirés vers les tempes, cernés d'un mauve meurtri... Mais qui donc parle dans la chambre de Marthe?

Ce murmure qui ne cesse pas, ponctué d'un rire tranchant ou d'une exclamation de ma belle-sœur... Une étrange conversation à coup sûr.

Soudain un cri! Une voix d'homme profère un juron, puis la voix de Marthe irritée : « Tu ne pouvais pas caler ton pied? »

Bouleversée, je referme ma chemisette avec des mains qui tremblent, j'abats ma jupe comme si l'on m'avait surprise. Mes doigts maladroits enfoncent dans mes cheveux, dix fois, la même fourche inutile... Qui donc est là derrière, mon Dieu! Marthe dit toujours « vous » à son mari.

Plus rien. Que faire? Si l'*homme* avait fait du mal à Marthe? Ah! je voudrais, je voudrais qu'il ne lui eût fait que du mal, que ce fût un voleur, un rôdeur armé d'un couteau, tant je devine des choses plus laides qu'un crime, derrière cette porte! Je veux voir, je veux savoir...

J'ai saisi le loquet. J'ouvre, je pousse le battant de toutes mes forces, un bras devant le visage comme si je craignais un coup...

J'aperçois, sans comprendre tout de suite, le dos laiteux de Marthe, ses épaules rondes jaillies de la chemise. Elle est, elle est... assise sur les genoux de Maugis, de Maugis, rouge, affalé sur une chaise, et tout habillé, je crois... Marthe crie, bondit, saute à terre et démasque le désordre de l'affreux individu.

Campée, debout devant moi, en pantalon de linon à jambes larges et juponnées, elle évoque irrésistiblement, sous son chignon roux qui oscille, l'idée d'une clownesse débraillée de mi-carême. Mais quelle tragique clownesse, plus pâle que la farine traditionnelle, les yeux agrandis et meurtriers!... Je reste là sans pouvoir parler.

La voix de Maugis s'élève, ignoblement gouailleuse :

— Dis donc, Marthe, maintenant que la môme nous a zieutés, si qu'on finirait cette petite fête... Qu'est-ce qu'on risque?

D'un coup de tête bref, elle lui indique la porte, puis marche sur moi et me pousse dans ma chambre si brutale que je chancelle.

— Qu'est-ce que tu fais là? Tu nous as suivis?

— Ah! Dieu non!

— Tu mens!

Je me redresse, j'ose la regarder mieux.

— Non, je ne mens pas. J'avais la migraine, je suis rentrée, j'ai donné quelque chose à l'homme de la porte pour qu'il me laisse passer, je...

Marthe rit, comme si elle avait le hoquet, sans ouvrir la bouche.

— Ah! tu le pratiques aussi, le mark à l'homme de la porte? Tu es mûre pour le grand coup, Alain n'a qu'à bien se tenir... J'admets ta migraine, mais qu'est-ce que tu venais fiche dans ma chambre?

Comme c'est brave une femme! Celle-ci a retrouvé son élément, sa crânerie de pétroleuse sur la barricade. Les poings à la taille, elle braverait une armée, avec la même pâleur, les mêmes yeux insoutenables...

— Parleras-tu? Qu'est-ce que tu attends pour aller raconter à Léon qu'il est cocu?

Je rougis à cause du mot, et à cause du soupçon.

— Je n'irai pas, Marthe. Tu le sais bien.

Elle me regarde un moment, les sourcils hauts.

— De la grandeur d'âme? Non. Ça ne prend pas. Un truc, plutôt, pour me tenir en main, pendant le reste de ma vie? Rentre ça. J'irais plutôt lui dire, moi-même, à l'autre idiot!

Je fais un geste d'impatience lasse :

— Tu ne me comprends pas. Ce n'est pas seulement le... la... chose elle-même qui me... qui me

choque, c'est l'individu que tu as choisi... oh!
Marthe, cet homme...

Blessée elle se mord la lèvre. Puis elle hausse les
épaules avec une triste amertume.

— Oui, oui. Tu es encore une de ces nigaudes
pour qui l'adultère — un mot poncif qui te plaît,
hein? — doit se cacher dans les fleurs, et s'en-
noblir par la passion, la beauté des deux amants,
leur oubli du monde... Ah! là là, ma pauvre fille,
garde tes illusions! Moi je garde mes embête-
ments... et mes goûts aussi. Cet individu, comme
tu l'appelles, possède, entre autres qualités, un
portefeuille complaisant, un genre d'esprit crapu-
leux qui me convient assez, et le tact d'ignorer la
jalousie. Il sent le bar? C'est possible; j'aime
encore mieux cette odeur-là que celle de Léon qui
sent le veau froid.

Comme fatiguée tout à coup, elle se laisse
tomber sur une chaise :

— Tout le monde n'a pas la chance de coucher
avec Alain, ma chère amie. C'est en somme un
privilège réservé à un petit nombre de personnes...
que j'envie modérément.

Qu'est-ce qu'elle va dire? Elle me jette un méchant sourire avant d'ajouter :

— D'ailleurs, sans vouloir lui faire de tort, ça
doit être un fichu amant que mon délicieux frère.
« Toc-toc, ça y est... Jusqu'au revoir, chère Madame. » Hein?

Les larmes aux yeux, je détourne la tête. Marthe

agrafe rapidement sa robe, épingle son chapeau, et continue de parler, sèche et fiévreuse :

— ... Aussi, je ne comprends pas que Valentine Chessenet s'en soit toquée si longtemps, elle qui se connaît en hommes...

C'est bien ce nom que je pressentais. Mais, moi aussi, je suis brave à ma manière; sans bouger, j'attends la fin.

Ma belle-sœur met ses gants, saisit son ombrelle, ouvre la porte :

— Dix-huit mois, ma chère, dix-huit mois de correspondance et d'entrevues régulières. Deux fois par semaine, c'était réglé comme une leçon de piano.

Je caresse le petit bull, d'une main toute froide, l'air indifférent. Marthe baisse la voilette de son chapeau couvert de roses, lèche sur ses lèvres le superflu de pommade-raisin, et me guette dans la glace. Ah! Elle ne verra rien!

— Il y a longtemps, Marthe? J'en ai bien entendu parler, mais jamais d'une façon aussi précise.

— Longtemps? Oui, assez longtemps. C'est rompu depuis la dernière Noël... dit-on. Huit mois, bientôt, c'est de l'histoire ancienne. Adieu, grande âme!

Elle claque la porte. Elle se dit à coup sûr : « J'ai riposté. Un beau coup! Qu'Annie parle à présent si elle veut. Je me suis vengée d'avance. » Elle ne sait pas qu'en pensant tuer quelqu'un, elle frappait sur un vêtement vide.

L'abattement, la courbature, — la honte et la
brûlure de ce que j'ai vu, — l'incertitude où je
suis de ce qu'il faut décider, — tout cela s'em-
mêle et me fatigue à l'extrême. Du moins, je sens
clairement l'impossibilité de revoir Marthe tous
les jours, à toute heure, sans revoir, à côté de sa
grâce insolente, l'odieuse face de ce gros homme
violacé, presque tout vêtu... Est-ce cela, l'adultère,
et faut-il croire que ce qu'ils faisaient ressemble à
l'amour? La caresse monotone et brève d'Alain
me salissait moins que ceci, et, Dieu merci, si je
devais choisir... Mais je ne veux pas choisir.

Je ne veux pas non plus rester ici. Je n'entendrai
pas *Tristan,* je ne verrai plus Claudine... Adieu,
Claudine, qui vous dérobez! Car depuis l'heure
agitée où elle devina une grande part de mon angoisse, l'heure trouble où je me sentis si près de
l'aimer, Claudine fuit les occasions de me parler
seule à seule, et me sourit de loin comme à un pays
regretté.

Allons, cherchons une autre route! La saison
s'avance. Pour la première fois, je songe que bientôt Alain s'embarquera sur le bateau du retour,
et je l'imagine, enfantinement, chargé de gros sacs
d'or, de l'or rouge comme ses cheveux...

Une phrase de sa dernière lettre me revient en
mémoire : « J'ai constaté, ma chère Annie, que le
type de certaines femmes de ce pays se rapproche
du vôtre. Les plus agréables ont, comme vous, de

lourds et longs cheveux noirs, les cils beaux et
fournis, le teint brun, uni, et ce même goût de
l'oisiveté et de la songerie vaine. Mais ce climat-ci
explique et excuse leurs penchants. Peut-être que
de vivre ici eût changé bien des choses entre
nous... »

Quoi! cet esprit net et positif s'embrumerait
aussi? Confusément, il penserait à corriger, à mo-
difier notre... notre « emploi du temps »? De grâce,
assez de changements, assez de surprises, de décep-
tions! Je suis lasse, avant de recommencer ma vie.
Un coin propre, silencieux, des visages nouveaux
derrière lesquels j'ignore tout — je ne demande
rien, rien de plus!

Péniblement je me lève, à la recherche de ma
femme de chambre... Dans la cuisine, entourée des
quatre petites Meider extasiées, elle leur chante,
d'une forte voix de baryton :

> Je vous aimeu... d'amour...
> J'en rêve nuit... t'et... jour...

— Léonie, c'est pour mes bagages, je pars tout
à l'heure.

Elle me suit sans répondre, ébahie. Les petites
Meider ne connaîtront jamais la fin de la valse
française...

Revêche, elle plonge dans ma malle.

— Est-ce que je dois faire la malle de madame
Léon aussi?

— Non, non, je pars seule, avec vous et Toby. Et j'ajoute, embarrassée : « J'ai reçu une dépêche. »

Le dos de Léonie n'en croit pas un mot.

— Vous vous ferez conduire à la gare avec les colis, dès que vous serez prête. Je vous rejoindrai avec le chien.

J'ai si peur qu'ils ne rentrent! Je consulte ma montre à chaque instant. Bénis soient, pour un jour, ces spectacles interminables! Ils assurent ma fuite.

J'ai payé ma note sans regarder, laissant un pourboire très fort (je ne connais pas les habitudes), qui fait sauter de joie les quatre petites filles en tabliers à bretelles. On n'est pas fier en Franconie!

Enfin, me voilà seule avec Toby colleté de cuir et de poil de blaireau pour le voyage. Sa petite figure noire suit mes mouvements, il comprend et il attend, sa laisse d'acier traînante sur le tapis. Encore un quart d'heure. Vite, à l'adresse de Marthe, un mot sous enveloppe : « Je pars pour Paris. Explique à Léon ce que tu voudras. »

J'ai le cœur serré d'être si seule au monde... Je voudrais laisser un adieu plus tendre que celui-là... mais à qui?... je crois que j'ai trouvé :

Ma chère Claudine,

Quelque chose d'inattendu me force à partir tout de suite. C'est un départ très pénible, très précipité. Mais

*n'allez pas supposer un accident, survenu à Alain ou
à Marthe, ou à moi. Je pars parce que tout me pèse
ici; Bayreuth n'est pas assez loin d'Arriège ni Arriège
assez loin de Paris, où je rentre.*

*Vous m'avez fait voir trop clairement que là où ne
commande pas le grand amour, il n'y a que médiocrité
ou détresse. Je ne sais pas encore quel remède j'y
trouverai; je pars pour changer, et pour attendre.*

*Peut-être auriez-vous su me retenir, vous qui rayon-
nez la foi et la tendresse. Mais depuis le jardin de la
Margrave, vous ne semblez plus le vouloir. Sans doute
vous avez raison. Il est juste que vous gardiez pour
Renaud, tout entière, la flamme dont vous m'avez un
instant éclairée.*

*Du moins, écrivez-moi une lettre, une seule lettre.
Réconfortez-moi et dites-moi, même en mentant, que
ma misère morale n'est pas sans recours. Car je songe
au retour d'Alain, avec une si trouble appréhension,
que l'espoir même ne m'y est plus clair.*

*Adieu, conseillez-moi. Souffrez que j'appuie une mi-
nute, en pensée, ma tête à votre épaule, comme dans
le jardin de la Margrave.*

ANNIE.

Onze heures du matin. L'arrivée. Le Paris sec et triste d'une fin d'été. L'estomac creux, le cœur malade, il me semble revenir de l'autre côté du monde, avec l'envie de me coucher là et de dormir. Laissant Léonie lutter contre la douane, je m'enfuis en fiacre vers la maison...

L'arrêt de ma voiture amène sur le seuil de l'hôtel le concierge sans livrée, en manches de chemise, et sa femme — ma cuisinière — dont les joues couperosées se marbrent de rouge et de blanc... Je lis disfraitement sur leurs plates figures la surprise, l'embarras, une dignité froissée de serviteurs corrects envers qui on n'agit pas correctement...

— C'est Madame!... mais nous n'avons pas reçu la dépêche de Madame!...

— C'est que je n'en ai pas envoyé.

— Ah! je disais aussi... Monsieur n'est pas avec Madame?

— Apparemment non. Vous me ferez déjeuner aussitôt que possible. N'importe quoi, des œufs, une côtelette... Léonie me suit avec la malle.

Je monte lentement les degrés de l'escalier, suivie du concierge qui a endossé précipitamment une tunique verte aux boutons ternis... Je regarde, dépaysée, ce petit hôtel, qu'Alain a voulu acheter... Je n'y tenais pas, moi. Mais *on* ne m'a pas demandé mon avis... Je pensais pourtant qu'au-dessous d'un certain prix, le petit hôtel est plus banal et plus inconfortable qu'un appartement...

Que m'importe tout cela, à présent? Je me sens indifférente comme une voyageuse. On a posé des doigts sales sur la porte blanche de ma chambre à coucher. L'ampoule électrique du corridor est fêlée... Poussée par l'habitude ancienne, j'ouvre la bouche pour dire qu'on répare, qu'on lave... Puis, je me ravise et me détourne.

Un peu de douceur, un peu de lâcheté me détendent, quand j'ouvre ma chambre blanche et jaune... Sur ce petit bureau laqué, où la poussière paraît peu, j'ai écrit les premières lignes de mon cahier... Dans ce grand lit plat, où mon corps creuse à peine son poids léger, j'ai rêvé migraine, crainte, résignation, ombre brève d'amour, volupté incomplète... Qu'y rêverai-je à présent, dépouillée de ma peur, de ma résignation, et de l'ombre même de l'amour? C'est une chose extraordinaire qu'une créature aussi faible que moi, aussi penchante vers tout appui moral et physique, se trouve seule, on ne sait comment, sans en périr aussitôt comme un volubilis désenlacé. Peut-être qu'on ne finit pas ainsi... si vite... Machinalement, je viens me mirer au-dessus de la cheminée.

Sans étonnement, j'eusse vu apparaître dans la glace une Annie consumée, diminuée, les épaules plus étroites, la taille plus molle encore qu'avant l'été... Mon image me surprend, et je m'accoude à l'étudier de près.

Les cheveux sombres, feutrés par une nuit en wagon, encadrent d'une marge brutale l'ovale toujours mince d'une figure brune. Mais ce pli de fatigue aux coins des lèvres ne modifie pas seul la ligne de la bouche, une bouche plus ferme, moins implorante qu'autrefois... Les yeux, eux, regardent plus droit, portent, sans faiblir à tout instant, l'auvent soyeux des cils. « Fleurs de chicorée sauvage », mes yeux si clairs, mon unique beauté véritable, je ne pourrai plus vous regarder sans penser à Claudine qui, penchée sur eux, disait par taquinerie : « Annie, on voit jusque de l'autre côté, tant ils sont clairs. » Hélas! c'était vrai. Clairs, comme un flacon vide. Attendrie par ce souvenir, vaguement enivrée par la nouveauté de mon image, j'incline la tête, je pose mes lèvres sur ma main dégantée...

— Je dois t'y défaire la malle de Madame?

Léonie, essoufflée, mesure d'un œil hostile cette chambre qu'il faudra « faire à fond »...

— Je ne sais pas, Léonie... J'attends une lettre...

Ne sortez que les robes et les jupons de soie, le
reste ne presse pas...

— Bien, Madame. Voilà justement une lettre de
Monsieur que le portier allait renvoyer en Allemagne.

D'une main brusque, je prends la lettre inat-
tendue. Pour la lire seule, je m'en vais dans le
cabinet d'Alain, où je pousse moi-même les persiennes.

> *Ma chère Annie,*
>
> *C'est un mari très fatigué qui vous écrit. Rassurez-
> vous; j'ai dit : fatigué, et non malade. Il a fallu ba-
> tailler; je vous ai déjà informée des difficultés de
> convertir en argent ce qui était en taureaux, et vous
> les redirai de façon détaillée. Je suis tout au plaisir
> de m'en être tiré honorablement et d'en rapporter une
> belle somme. Vous me saurez gré, Annie, d'un voyage
> qui me permet d'augmenter le train de notre maison,
> et de vous offrir une fourrure de zibeline aussi belle
> que celle de Madame... vous savez qui je veux dire?...
> ma sœur la nomme, trop librement : « la Chessenet ».*
>
> *Le soleil est pesant à cette heure, et j'en profite
> pour mettre à jour ma correspondance. Dans la cour
> de la maison, une fille est assise, qui coud ou fait sem-
> blant de coudre. Il y a vraiment une ressemblance
> assez singulière, et que j'ai remarquée tant de fois,
> entre sa silhouette immobile, penchée, au chignon
> noué sur la nuque, et la vôtre, Annie. La fleur rouge
> est en plus ici, et le petit châle jaune aussi. N'importe,*

*cela m'occupe et fait dévier ma pensée vers vous, et
vers mon retour qui n'est plus qu'une affaire de
jours...*

De jours! C'est vrai, il y a longtemps déjà... De
jours! Je finissais par croire qu'il ne reviendrait
pas. Il va revenir, il va quitter la terre lointaine,
la fille brune qui me ressemble et qu'il appelle
peut-être Annie, les nuits d'orage... Il va revenir
et je n'ai pas encore décidé mon sort, pris courage
contre moi-même et contre lui!

Sans ramasser la lettre, glissée à terre, je songe
en regardant autour de moi. Ce cabinet de travail,
qui sert de fumoir, n'a pas gardé l'empreinte de
son maître. Rien n'y traîne, et rien n'y charme.
La verdure déclouée pour l'été laisse un grand
panneau de mur blanc, non tendu. Je suis bien
mal ici, je ne resterai pas à Paris.

— Léonie!

Le bon gendarme accourt, une jupe pendue à
chaque index.

— Léonie, je veux partir demain pour Casamène.

— Pour Casamène? Oh! ma foi, non.

— Comment, non?

— Madame n'a pas écrit à la jardinière, la maison est fermée et pas nettoyée, les provisions pas
faites. Et puis il me faudrait bien deux jours pour
les choses qu'on a besoin ici, les jupes de toujours
de Madame ont la doublure abîmée, la robe en

linon blanc qu'on n'a pas trouvé de teinturier pour elle en Allemagne; le jupon qui va avec, sa dentelle il faut qu'on la remplace, et encore...

Je ferme mes oreilles à deux mains, la syntaxe de Léonie m'impressionne.

— Assez, assez! Vous avez deux jours pour tout cela. Seulement, écrivez vous-même à la jardinière que... (j'hésite un moment...) que je n'amène que vous. Elle fera la cuisine.

— Bien, Madame.

Léonie sort d'un pas digne. Je l'aurai froissée une fois de plus. Il faut tant d'égards envers les subalternes! Tous les domestiques qui ont passé dans cette maison ont été de vraies sensitives, des sensitives grognon, qui ressentaient vivement les nuances de l'humeur d'autrui et le laissaient paraître sur leurs visages, en l'absence d'Alain.

Je pars demain. Il est temps, ma patience s'use. Tout ce décor de ma vie conjugale me devient intolérable, même le salon Louis XV où j'attendais le vendredi, docile et horrifiée, le coup de sonnette de la première visiteuse. J'exagère : En ce temps-là, qui recule étrangement, j'étais plus docile qu'horrifiée, et presque heureuse, d'un bonheur incolore, peureux. Errante aujourd'hui, démoralisée et pourtant plus têtue, mon sort est-il meilleur? C'est un problème bien ardu pour une cervelle aussi fatiguée.

Je ne laisse guère de moi dans ce petit hôtel

étroit et haut comme une tour. Alain n'a pas
voulu des meubles de grand-mère Lajarisse, ils sont
demeurés à Casamène. Quelques livres, deux ou
trois portraits d'Annie..., le reste appartient à mon
mari. Je lui ai donné, il y a trois ans, ce petit
bureau anglais, qu'il a gardé miséricordieusement
dans son cabinet de travail. Je tire, indiscrète, la
poignée de cuivre du tiroir, qui résiste. Un homme
d'ordre ferme ses tiroirs en partant pour un si
long voyage. En regardant de plus près, je dé-
couvre, scellé minuscule, une petite bande de bau-
druche gommée, à peu près invisible... Peste! mon
mari montre une confiance relative en son person-
nel. Mais une précaution aussi dissimulée vise-t-elle
seulement le valet de chambre?... Brusquement la
venimeuse figure de Marthe m'apparaît : « dix-
huit mois, ma chère, dix-huit mois de correspondance suivie, de rendez-vous réguliers... »

J'aimerais assez connaître le style de Valentine
Chessenet. Non pas, grand Dieu, qu'une jalousie
physique m'étreigne, que la fièvre pousse ma
main... C'est simplement, qu'au point où j'en suis
venue, les scrupules me semblent un luxe ridicule.

... Les petites clefs de mon trousseau échouent
l'une après l'autre sur la serrure anglaise. Cela
m'ennuie de recourir à quelqu'un. Je cherche...
Cette règle plate, en fer poli, sur la table à écrire...
Oui, en faisant levier sous le tiroir... Que c'est
dur! J'ai chaud, et l'ongle de mon pouce est
cassé, un petit ongle rose si soigné au bout de ma

main brune... Oh! quel craquement! Si les domestiques entraient, croyant à un accident! J'écoute une minute, effrayée. Les cambrioleurs doivent mourir fréquemment de maladie de cœur...

Le bois de frêne clair a éclaté. Encore un peu de travail et le tablier du joli meuble, fendu, éventré, tombe, suivi d'une avalanche de papiers.

Me voilà interdite comme une petite fille qui a renversé une boîte de dragées! Par où commence-rai-je? Ce ne sera pas long; chaque petite liasse, méthodiquement serrée d'un caoutchouc, porte une inscription :

Voici *Factures acquittées,* voici *Titres de pro-priété,* voici *Pièces relatives au procès des terrains* (quels terrains?) puis *Reçus de Marthe* (ah?) *Lettres de Marthe, Lettres d'Annie* (trois en tout), *Lettres d'Andrée* (mais quelle Andrée?) Lettres... Lettres... Lettres... ah! enfin : *Lettres de Valent...*

Je vais doucement tourner la clef de la porte, puis, assise sur le tapis, j'éparpille au creux de mes genoux la liasse assez copieuse.

« Mon rouquin d'amour... », « Mon petit homme blanc » (elle aussi), « Cher ami », « Monsieur », « Méchant gosse... », « Sale lâcheur... », « Ma cafetière en cuivre rouge »... Les appellations varient, certes, plus que le fond des lettres. L'idylle est complète, pourtant. On peut chrono-logiquement la suivre, depuis le petit bleu « J'ai fait une gaffe en me donnant si vite... » jusqu'au

« Je ferai tout pour te ravoir, j'irai plutôt te chercher chez ta petite oie noire... »

En marge ou au verso de toutes les lettres, la raide écriture d'Alain a noté : « Reçu le... Répondu le... par télégramme fermé. » Je l'aurais reconnu à ce trait. Ah! *elle* peut bien l'appeler rouquin d'amour, ou mimi blanc, ou théière... cafetière, je ne sais plus... c'est toujours le même homme!

Qu'est-ce qu'il faut faire de tout cela, à présent? Envoyer le paquet de lettres sous pli cacheté, à l'adresse d'Alain écrite de ma main? On procède ainsi dans les romans. Mais il croirait que je l'aime encore, que je suis jalouse. Non. Je laisse tous les papiers à terre, au pied du meuble cambriolé, avec la règle plate et le trousseau de mes petites clefs. Ce saccage met un réjouissant désordre dans la pièce sans âme. Emportons les *Lettres d'Annie*... Là, c'est fini... La figure d'Alain quand il reviendra!

Une enveloppe bleue s'accote à ma tasse sur le plateau du petit déjeuner. Au timbre bavarois moins qu'à l'écriture grasse et ronde, j'avais deviné la réponse de Claudine. Elle me répond vite : elle a pitié... Son écriture lui ressemble, sensuelle, vive, droite, et d'où s'élancent des boucles courtes et gracieuses, des barres de T renflées, despotiques...

Ma douce Annie,

Je ne verrai donc plus, de longtemps, les yeux uniques que vous cachez si souvent sous vos cils, comme un jardin derrière une grille, car il me semble que vous voilà partie pour un grand voyage... Et quelle idée avez-vous de me demander un itinéraire? Je ne suis ni l'Agence Cook, ni Paul Bourget. Enfin, nous verrons ça tout à l'heure, je veux vous dire d'abord le plus pressé, qui est banal comme un fait divers.

Dans la journée qui suivit votre départ, je ne rencontrai pas le ménage Léon à Tristan. Votre beau-frère, ce n'est rien, mais Marthe manquant les entractes de Tristan, les plus sensationnels après ceux de Parsifal! Nous rentrons du théâtre comme d'habitude, à pied, moi pendue au bras de mon cher grand, et nous songeons tous deux à faire un petit détour pour prendre des nouvelles de Marthe... Horreur! l'honnête maison Meider ouverte à tout venant, quatre petites filles en tabliers roses qui courent comme des rats. Marthe, enfin, dont j'entrevois le fanal rouge en racines droites et qui nous claque la porte au nez pour nous empêcher d'entrer... Renaud parlemente avec une bonne, écoute ce qu'elle gémit en bavarois ponctué de Yo! et m'emmène, si étonné, qu'il avait presque l'air bête... J'exagère.

Savez-vous quoi, Annie? Léon venait de s'empoisonner, comme une modiste plaquée! Il avait bu du laudanum, et d'un tel cœur, qu'il s'était collé une indigestion monstre! Vous allez penser tout de suite que le suicide de Liane hanta ce cerveau éminemment parisien? Pas du tout. Au cours d'une scène vive,

*Marthe très énervée — la chronique ne dit pas pour-
quoi — avait traité son époux de « cocu » avec tant
de fréquence et de conviction que le malheureux
n'avait plus douté de ce qu'on appelle en style de reporter « l'étendue de son malheur ».*

Va pour étendue.

*Le lendemain, je tente une reconnaissance, toute
seule : Marthe me reçoit, épouse modèle, et me raconte la « fatale erreur », se lève dix fois pour courir
auprès du malade... Maugis n'était pas là, parce qu'une
dépêche urgente l'avait appelé à Béziers la veille au
soir. C'est curieux tout de même, Annie, ce qu'on voit
de départs urgents dans la colonie française de Bayreuth!...*

*Rassurez-vous vite, enfant craintive, le suicidé va
bien; Marthe le soigne comme un cheval qui doit courir le Grand Prix. Sous peu de jours il sera en état de
reprendre son travail à raison de quatre-vingts lignes
quotidiennes au lieu de soixante, pour rattraper le
temps perdu. Votre belle-sœur est une femme intelligente et qui comprend à merveille que la situation
de femme mariée est de beaucoup supérieure à celle
de la femme divorcée, ou à certains veuvages, même
lucratifs.*

*Vous voilà au courant. Parlons de vous. De vous,
embarrassante petite créature, si lente à se connaître
elle-même, si prompte, le jour venu, à s'enfuir, silencieuse et coiffée de noir, comme une hirondelle qui
émigre.*

*Vous partez, et votre fuite et votre lettre sont comme
un reproche pour moi. Que je vous regrette, Annie
à l'odeur de rose! Il ne faut pas m'en vouloir. Je ne
suis qu'une pauvre bête amoureuse de la beauté, de la*

faiblesse, de la confiance, et j'ai bien du mal à com-
prendre que, lorsqu'une petite âme comme la vôtre,
s'appuie sur la mienne, qu'une bouche s'entrouvre,
comme la vôtre, vers la mienne, je ne doive pas les
embellir encore, l'une et l'autre, d'un baiser. Je ne le
comprends pas très bien, vous dis-je, quoiqu'on me
l'ait expliqué.

On a dû, Annie, vous parler de moi, et d'une amie,
que j'aimais trop simplement, trop entièrement. C'était
une fille méchante et séduisante, cette Rézi, qui voulut
mettre entre Renaud et moi sa grâce blonde et dévê-
tue, et se donner le littéraire plaisir de nous trahir
tous les deux... A cause d'elle j'ai promis à Renaud —
et à Claudine aussi — d'oublier qu'il peut y avoir de
jolies créatures faibles et tentantes, qu'un geste de moi
pourrait enchanter et asservir...

Vous partez, et je vous devine tout en désordre.
J'espère, pour vous et pour lui, que votre mari ne va
pas revenir tout de suite. Vous n'êtes encore ni assez
clairvoyante, ni assez résignée. Que vous n'aimiez pas,
c'est un malheur, un malheur calme et gris, oui, An-
nie, un malheur ordinaire. Mais songez que vous pour-
riez aimer sans retour, aimer et être trompée... C'est
le seul grand malheur, le malheur pour lequel on tue,
on brûle, on anéantit... Et on a rudement raison!
Ainsi, moi, si jamais... Pardonnez-moi, Annie, j'allais
oublier qu'il s'agit ici uniquement de vous. Une amou-
reuse a bien de la peine à cacher son égoïsme.

« *Conseillez-moi!* » *suppliez-vous. Comme c'est com-*
mode! Je vous sens prête à diverses sottises, que vous
accomplirez doucement, avec une mollesse entêtée,
avec cette grâce de jeune fille qui donne tant d'incer-
titude et de charme à tous vos gestes, sinueuse Annie.

Je ne veux pourtant pas, bon sang! vous dire tout à trac : « On ne vit pas avec un homme qu'on n'aime pas, c'est de la cochonnerie », bien que cette opinion ne diffère pas sensiblement de ma vraie pensée. Mais je puis, du moins, vous raconter ce que j'ai fait :

Munie d'un gros chagrin, et d'un petit bagage, je suis rentrée dans mon terrier natal. Pour mourir? Pour y guérir? Je n'en savais rien en partant. La divine solitude, les arbres apaisants, la nuit bleue et conseillère, la paix des animaux sauvages, m'ont détournée d'un dessein irréparable, m'ont reconduite doucement au pays d'où je venais — au bonheur...

Ma chère Annie, vous pouvez toujours essayer.

Adieu. Ne m'écrivez pas, si ce n'est pour m'annoncer que le traitement opère. Car j'aurais trop de regret de n'en pouvoir recommander un autre.

Je baise, des cils au menton, tout votre visage qui a la forme fuselée et presque la nuance d'une aveline mûre. De si loin, les baisers perdent leur poison, et je puis poursuivre une minute, sans remords, notre rêve du Jardin de la Margrave.

CLAUDINE.

CLAUDINE m'a trompée. Je suis injuste : elle s'est trompée. La « cure de campagne » n'est pas une panacée, et puis on guérit malaisément le malade qui n'a pas la foi.

Aux premières pages de ce journal (Toby, que je te prenne encore, l'œil saillant et l'oreille fière à le traîner par un coin, comme le cadavre d'un ennemi!), aux premières pages de ce journal sans fin ni commencement, perverti et timide, hésitant et révolté et tout pareil à moi-même, je lis ces mots : « le fardeau de vivre seule... » Annie ignorante! Que pèse-t-il, ce fardeau-là, auprès de la chaîne que j'ai quatre ans et sans repos, portée, et qu'il faudrait reprendre pour la vie? Mais je ne veux pas la reprendre. Ce n'est pas que la liberté même se révèle si tentante, et je n'en veux pour preuve que ma fièvre à changer de place, l'amère sensibilité qui mire ma solitude à toutes ces solitudes du ciel, des champs, des âpres rochers gris, dont les coupures fraîches sont rouges... Mais choi-

sir son mal... d'aucuns feraient de cela leur idéal
de bonheur...

Hélas oui! A peine arrivé, je veux repartir. Casamène est à moi, pourtant. Mais j'y ai trop vécu
à côté d'Alain. Dans le bosquet romantique, sous
le couvert de la « petite forêt » — un taillis modeste que j'avais baptisé de ce nom démesuré —
au fond du hangar sombre, où des outils empâtés
de rouille font songer à quelque chambre des tor-
tures nurembergeoises, dans tous les recoins de ce
domaine démodé, je retrouverais sans peine les
marques et les dégradations de nos jeux d'autrefois. Près du ravin, un marronnier porte encore sur
son écorce, en ceinture pleine d'ampoules, la trace
cruelle d'un fil de fer dont l'enserra Alain, il y
a peut-être douze ans. Là, mon sévère compagnon
fut l'Œil-de-serpent, chef d'une tribu de Peaux
Rouges, et moi sa petite squaw domestiquée, attentive au feu de pommes de pin. Il s'amusait très
fort, presque toujours sérieux et grondeur, d'une
raideur qui faisait partie du jeu.

Il n'a jamais aimé Casamène. Mon futile grand-
père décora ces quelques hectares d'un peu plus
de pittoresque qu'il n'était nécessaire : un ravin,
bien entendu *sauvage*, deux collines, une combe,
une grotte, un point de vue, une grande allée pour
la perspective, des arbustes exotiques, une voie
empierrée pour les voitures, tortueuse assez pour
que l'on croie parcourir des kilomètres sur ses
terres... Tout cela, disait Alain, d'un ridicule

achevé. C'est bien possible. J'y vois surtout, à présent, une poignante tristesse de jardin abandonné, et sous ce soleil blanc comme un soleil d'octobre, une fertilité funèbre de cimetière...

« Les arbres apaisants!... » Ah! Claudine, je sangloterais si je ne me sentais si effarée, si pétrifiée de solitude. Les pauvres arbres, ceux-ci, ne connaissent la paix, ni ne la donnent. Beau chêne tordu, géant aux pieds enchaînés, depuis combien d'années tends-tu vers le ciel tes branchages tremblants comme des mains? Quel effort vers la liberté t'a versé sous le vent, puis redressé en coudes pénibles? Tout autour de toi, tes enfants nains et difformes implorent déjà, liés par la terre...

D'autres créatures prisonnières, comme ce bouleau argenté, se résignent. Ce fin mélèze aussi, mais il pleure et chancelle, noyé sous ses cheveux de soie et j'entends de ma fenêtre son chant aigu sous les rafales... Oh! tristesse des plantes immobiles et tourmentées, se peut-il qu'en vous une âme pliante et incertaine ait jamais puisé la paix et l'oubli!... Ce n'est pas là, Claudine, c'est en vous seule que brillaient la force, le bondissement des bêtes heureuses, la joie qui aveugle et colore à la fois!

Il pleut, et tout en est pire. J'allume tôt la lampe, et je m'enferme, à peine rassurée par les lourds volets pleins, par le bavardage à pleine voix de Léonie avec la petite de la jardinière. Le feu craque, — il faut du feu déjà — les boiseries aussi.

Quand la flamme se tait, le silence bourdonnant emplit mes oreilles. Les pattes onglées d'un rat courent distinctement entre les lames des plafonds, et Toby, mon unique petit gardien noir, lève une tête féroce vers cet ennemi inaccessible... Pour Dieu, Toby, n'aboie pas! Si tu aboies, le silence fracassé va tomber en éclats sur ma tête, comme les plâtres d'une maison trop ancienne...

Je n'ose plus me coucher. Je prolonge ma veillée devant le feu mourant, jusqu'au bout de la lampe, j'écoute les frôlements veloutés, l'haleine du vent qui pousse les feuilles sur le gravier, tous les pas des bêtes menues que je ne connais pas. Je touche, pour me donner courage, la lame large d'un couteau de chasse, et le froid de l'acier, au lieu de me rassurer, m'effraie davantage.

Quelle sotte peur! Les meubles amis ne me connaissent-ils plus? Si, mais ils savent que je les quitterai, ils ne m'abritent pas. Vieux piano aux moulures cannelées, je t'ai fatigué de mes gammes. « Plus de nerf, ma petite Annie, plus de nerf! » Déjà! Ce portrait de polytechnicien à taille de guêpe, d'après un daguerréotype, c'est mon grand-père. Il creusa des puits au sommet de la montagne, entreprit une culture de truffes, tenta d'éclairer le fond de la mer « à l'aide d'huile de baleine brûlant en vases transparents hermétiquement clos » (!); bref, il ruina sa femme et sa fille, l'âme légère et sans remords, adoré des siens. La jolie taille que la sienne, si l'image est sincère!

Une femme d'aujourd'hui pourrait l'envier. Un beau front chimérique, des yeux curieux d'enfant, de petites mains gantées de blanc... C'est tout ce que je sais de lui.

Au-dessus du piano, au mur, une mauvaise photographie de mon père; je ne l'ai connu que vieux et aveugle. Un homme distingué en favoris blancs — comment suis-je la fille d'un être aussi... quelconque?

De ma mère, rien. Pas un portrait, pas une lettre. Grand-mère Lajarisse refusait de me parler d'elle et me recommandait seulement : « Prie pour elle, mon enfant. Demande à Dieu miséricorde pour tous les disparus, les exilés, pour les morts... » Il est bien temps, vraiment, d'aller m'inquiéter de ma mère! Qu'elle reste, pour moi, ce que je l'imaginai toujours : une jolie créature triste, qui est partie? ou qui s'est tuée? J'en ai plus de pitié que de souci!

Deux lettres m'arrivent! Il y a là de quoi m'inquiéter deux fois. Dieu merci, l'une est de Claudine, et l'autre d'Alain. Et puis, je me sens, ce matin, plus forte et plus alerte, calmée par l'heure fraîche, — car le coucou de la cuisine a chanté huit fois ses deux notes de crapaud, — par l'odorant thé bouillant qui fume dans ma tasse bleue, par l'appétit délirant de Toby, qui saute et pleure

pointu, durant que je m'attarde. Je respire un air
mobile et léger, un air de fête et de départ; c'est
ma manière à moi, oui, Claudine, de goûter la
paix des champs, que de rêver au son des grelots
sur la route... Je serais une jeune femme de dix-
huit cent... trente et quelques. Une créole, n'est-ce
pas? Elles furent à la mode dans ce temps-là. Un
mariage malheureux, l'enlèvement, le costume in-
commode et fragile, les brodequins lacés que
blessent les cailloux, la chaise lourde, les postiers
fumants... quoi encore? l'essieu qui se brise, les
surprises, la rencontre providentielle... Tout le
joli, le ridicule, le sentimental de nos grand-mères...

Dans l'enveloppe au timbre français, quelques
lignes seulement de Claudine :

*Ma chère petite Annie, je ne sais où vous trouver.
Que ceci vous parvienne et vous dise seulement que
Marthe, à Paris, explique votre fugue en peu de mots :
« Ma belle-sœur soigne en province une grossesse difficile. » C'est la grâce que je vous souhaite! Tout en
serait peut-être plus simple?... Sachez encore que Léon
et sa femme me semblent en parfaite santé et en par-
fait accord.*

*Adieu, je voulais vous rassurer, vous avertir. Cela
seulement... et savoir quelque chose de vous car je
n'y puis tenir : je crains tout pour vous... hors moi-
même. J'avais dit : « Ne m'écrivez pas, si le remède
échoue. » Il s'agit bien de remède! Je veux tout savoir
de vous, de vous à qui j'ai, si proprement, renoncé. Un
mot, une image, une dépêche, un signe... Faites-en ma*

*récompense, Annie. Guérie, ou malade, ou « perdue »
comme on dit, ou bien même... ce que dit Marthe...
Bouac! non, pas cela! Demeurez l'amphore, étroite et
grêle, que deux bras refermés peuvent aisément
étreindre.*

> *Votre*

CLAUDINE. »

C'est tout! Oui, c'est tout. La tendre inquiétude
de Claudine même ne me satisfait pas. Quand on
n'a rien à soi, comme moi, on espère tout d'autrui...

Une mauvaise fatigue assombrit cette heure
claire. Qu'avait-on besoin de me rapprocher de ces
gens-là, de ces jours-là? Je relis la lettre de Claudine, et sa malencontreuse sollicitude ravive en
moi des images effacées, à travers lesquelles je regarde fixement, sans bien voir, l'enveloppe carrée
et l'écriture raide d'Alain... Dakar, Dakar... où
donc ai-je vu ce nom-là, inscrit en noir dans un
petit rond? Pourquoi Dakar? La dernière fois,
c'était Buenos Ayres...

Avec un cri, je sors de ma brume. Dakar! Mais
il revient, il est en route, il se rapproche, il sera
ici demain, tout à l'heure!... Voilà donc ce que
couvait le calme de cette matinée? Mes mains
maladroites déchirent la lettre avec l'enveloppe,
l'écriture si nette tremble devant mes yeux... Je lis

à peu près : « Ma chère Annie... enfin... le retour...
rencontre de nos amis X... qui voyagent en tou-
ristes... me retiennent... affaire de dix jours... trouver la maison prête, Annie heureuse... »

Dix jours, dix jours! Le sort ne m'accorde pas
davantage pour réfléchir. C'est peu. Ce sera assez.

— Léonie!

— Madame?

Elle tient trois chatons nouveau-nés dans son
tablier levé, et m'explique, pour s'excuser, en
riant :

— C'est que je vas les noyer.

— Faites vite, alors. Les malles, le sac de toilette, tout cela bouclé pour l'express de cinq
heures. Nous rentrons à Paris.

— Encore!

— Ça vous gêne? Je serais désolée de vous imposer une minute de plus un service qui contrarie
vos goûts.

— Je ne disais pas ça, Madame...

— Dépêchez-vous, Monsieur m'annonce son retour.

Je l'entends, au premier étage, se venger sur les
tiroirs de commode et les serrures des placards...

Tous ces cartons, tous ces paquets! Une odeur composite flotte, de cuir neuf, de papier noir goudronné, de laine rude et non portée, de bitume aussi, à cause du grand manteau imperméable. J'ai bien occupé mon temps depuis mon retour précipité. On n'a vu que moi chez le bottier, le tailleur, le chapelier... Je parle comme un homme, mais la faute en est à la mode, plus qu'à moi.

En cinq jours je me suis commandé et fait livrer tant, tant de choses! J'ai gravi tant d'étages, mandé tant de fournisseurs à faces de domestiques enrichis, enlevé tant de fois ma jupe et mon corsage, bras nus et frissonnants sous les doigts froids des « premières », que la tête me tourne. N'importe, cela est bon. Je me secoue par le collet.

Assise, un peu étourdie, j'admire mes trésors. Les beaux grands souliers lacés, plats et effilés comme des yoles, bas sur leurs talons anglais! On doit marcher d'aplomb, longtemps, sur ces petits bateaux jaunes. Du moins, je le suppose. Mon mari préférait pour moi les talons Louis XV, plus « fé-

minins »... Puisqu'il les préférait, je n'en veux
pas! Il n'aimerait guère non plus ce complet de
bure rousse, pelage d'écureuil, dont la jupe en
forme s'évase si net et si simple... Je l'aime, moi.
Sa sobriété m'amincit encore, sa couleur fauve
souligne le bleu de mes yeux, l'exagère jusqu'à
faire venir l'eau sous la langue... Et ces gants mas-
culins à piqûres, ce feutre correct, traversé d'une
plume d'aigle!... Tant de nouveautés, tant de dé-
sobéissance me grisent, comme l'imprévu de cette
chambre d'hôtel. Un hôtel très bien, à deux pas
de la maison, — on ne dira pas que je me cache.

Sans souci de la vraisemblance, j'ai dit à Léonie :
« La maison a besoin de réparations urgentes,
Monsieur me rejoindra à l'Impérial-Voyage. » Depuis, la pauvre fille vient ici tous les matins, pour
prendre les ordres et se plaindre :

— Madame croirait-elle? L'architecte n'est pas
encore venu pour les réparations que Madame y
a écrit.

— Pas possible, Léonie! Au fait, il a peut-être
reçu de Monsieur des instructions particulières?

Et je la congédie, avec un sourire si bienveillant
qu'elle s'intimide.

Fatiguée, j'attends l'heure du thé, caressant de
l'œil seulement — parce qu'il m'impressionne
quand je le touche — le plus beau de mes jou-
joux neufs, dont j'ai fait emplette tout à l'heure :
un petit revolver mignon, mignon, noir, qui ressemble à Toby... (Toby, je te prie de ne pas lécher

ce carton verni! Tu vas te faire mal au ventre!)...
Il a deux crans de sûreté, six coups, une baguette,
un tas d'affaires. Je l'ai acheté chez l'armurier
d'Alain. L'homme qui me l'a vendu m'a soigneusement expliqué le mécanisme, en me regardant
furtivement, d'un air fataliste, comme s'il pensait :
« Encore une! Quel malheur! si jeune! Enfin, il
faut bien que je vende mes bibelots... »

Je suis bien. Je goûte un repos oublié depuis
longtemps. Un choix assez sûr a meublé ce petit
salon jaune et la chambre Louis XVI qui l'accompagne. Mon instinct irritable et dégoûté ne
flaire pas ici les tapis sales, les capitonnages aux
recoins inquiétants. La lumière glisse sur des meubles lisses, sur des boiseries mates d'un blanc gris
tranquille. Un petit téléphone de service grelotte
discrètement dans une paix de maison bien tenue.
Quand je sors, un vieux monsieur en jaquette,
qui trône dans le bureau, me sourit comme à sa
fille... La nuit, je dors des heures, sur les bons
matelas fermes et carrés.

Je rêve une minute que je suis une mûre demoi-
selle anglaise, paisible et sèche, et que j'ai pris
pension dans un family très chic... « Toc-toc-toc... »

— Entrez!

« Toc-toc-toc... »

— Entrez donc, je vous dis...

La petite femme de chambre drôlette passe son
museau de souris.

— C'est le thé, Marie?

— Oui, Madame, et une visite pour Madame.

— Une visite!

Je bondis sur mes pieds, tenant encore par les lacets un de mes souliers jaunes. Le museau de souris s'effare :

— Mais oui, Madame! c'est une dame.

Je tremble, mes oreilles bourdonnent.

— Vous êtes sûre que... que c'est une dame?

Marie éclate de rire comme une soubrette de comédie; je l'ai mérité.

— Vous avez dit que j'étais là?... Faites monter.

Appuyée à la table, j'attends, et cent sottises tourbillonnent dans ma cervelle... Cette dame, c'est Marthe, et Alain la suit... Ils vont me prendre... Je regarde follement le joujou noir...

Un pas frôle le tapis... Ah! mon Dieu, c'est Claudine! que je suis contente, que je suis contente!

Je me jette à son cou avec un tel « Ah! » de délivrance qu'elle s'écarte un peu, étonnée.

— Annie... qui attendiez-vous?

Je presse ses mains, je passe mon bras sous le sien, je la pousse vers le canapé de canne dorée avec des gestes nerveux qu'elle écarte doucement, comme inquiète...

— Qui j'attendais? Personne, personne! Ah! que je suis heureuse que ce soit vous!

Un soupçon assombrit ma joie :

— Claudine... on ne vous envoie pas? vous ne venez pas de la part de...?

Elle lève ses sourcils déliés, puis les fronce d'impatience :

— Voyons, Annie, nous avons l'air de jouer la comédie de société... vous surtout! Qu'est-ce qui se passe? Et que craignez-vous?

— Ne vous fâchez pas, Claudine. C'est si compliqué!

— Croyez-vous? C'est presque toujours si simple!

Docile je ne la contredis point. Elle est jolie, comme toujours, à sa manière, mystérieuse sous son chapeau noir enguirlandé de chardons blancs et bleus, toute en yeux et en cheveux bouclés, le menton ironique et pointu...

— Je veux tout vous dire, Claudine... Mais d'abord, comment saviez-vous que je suis ici?

Elle lève le doigt :

— Chut!... Il faut remercier une fois de plus le Hasard, avec un H majuscule, Annie, le Hasard qui me sert, à moins qu'il ne me commande... Il m'a conduite au magasin du Louvre, qui est un de ses temples, puis sous les arcades du Théâtre-Français, non loin d'un armurier connu, où une petite créature mince, aux yeux brûlants et bleus, achetait...

— Ah! c'est pour cela...

Elle aussi, a eu peur. Elle a cru... C'est gentil, mais un peu naïf. Je souris en dessous.

— Quoi, vous pensiez... Non, non, Claudine, ne

craignez rien! On ne fait pas, comme ça, pour un oui, pour un non...

— ... Parler la poudre... D'ailleurs votre raisonnement est faux, c'est le plus souvent, pour un oui, pour un non, au contraire...

Elle se moque, mais tout mon cœur se gonfle de gratitude envers elle, non pas pour sa crainte un brin feuilletonesque de tout à l'heure, mais parce qu'en elle, en elle seule, j'ai rencontré la pitié, la loyauté, la tendresse un instant fougueuse, tout ce que m'a refusé ma vie...

Elle me parle dur et me regarde tendre. Le malaise perce sous la raillerie. Elle n'est pas bien sûre de ce qu'il faut m'ordonner. C'est un petit médecin ignorant, intelligent et superstitieux, un rebouteux un peu devin, mais sans expérience... Je sens tout cela et me garderai de le lui dire. Il est trop tard pour changer mes habitudes...

— Ça n'est pas dégoûtant du tout, cet immeuble, constate Claudine en regardant autour d'elle. Ce petit salon est drôlet.

— N'est-ce pas? Et la chambre, tenez... Ça ne sent pas l'hôtel.

— Ma foi non, on dirait plutôt une chouette maison de... oui, passez-moi l'expression, une maison de rendez-vous.

— Ah? je n'en sais rien.

— Ni moi non plus, Annie, répond-elle en riant. Mais on m'a fait des descriptions.

Cette révélation me laisse songeuse : « Une mai-

son de... » La rencontre est ironique, pour une
femme qui n'attend personne!

— Prenez du thé, Claudine.

— Bouac, qu'il est fort! Beaucoup de sucre au
moins. Ah! voilà Toby! Toby charmant, ange noir,
crapaud carré, front de penseur, saucisson à pattes,
gueule d'assassin sentimental, mon chéri, mon trésor!...

La voilà redevenue tout à fait Claudine, à quatre pattes sur le tapis, son chapeau tombé, embras-
sant le petit chien de toutes ses forces. Toby, qui
menace tout le monde de ses dents inégales et so-
lides, Toby charmé se laisse rouler par elle comme
une pelote...

— Fanchette va bien?

— Toujours, merci. Elle a eu encore trois enfants, croyez-vous! Ça lui en fait neuf cette année.
Je l'écrirai à M. Piot... Des enfants indignes, du
reste, grisâtres, mal marqués, fils du charbonnier
ou du blanchisseur... Mais quoi, ça lui fait du
bien.

Elle boit sa tasse de thé à deux mains comme
une petite fille. Ainsi, au Jardin de la Margrave,
elle tint, renversée une minute, une seule minute,
ma tête à la dérive...

— Claudine...

— Quoi?

Ressaisie je veux me taire.

— Rien...

— Rien quoi, Annie?

— Rien... de nouveau. C'est à vous de me questionner.

Ses yeux de collégien malicieux redeviennent des yeux de femme, pénétrants et sombres :

— Je le puis? Sans restriction?... Bon! Votre mari est revenu?

Assise près d'elle, je baisse les yeux sur mes mains croisées, comme au confessionnal :

— Non.

— Il revient bientôt?

— Dans quatre jours.

— Qu'est-ce que vous avez décidé?

J'avoue tout bas :

— Rien! Rien!

— Alors qu'est-ce que c'est que ce fourbi?

Elle désigne, du menton, la malle, les vêtements, les cartons pêle-mêle... Je me trouble.

— Des babioles pour la saison prochaine.

— Oui-da?

Elle m'inspecte d'un regard soupçonneux... Je n'y tiens plus. Qu'elle me blâme, mais qu'elle ne suppose pas une escapade indigne, je ne sais quel ridicule enlèvement... Vite, vite, je parle, je raconte une histoire décousue :

— Ecoutez... Marthe m'a dit, là-bas, qu'Alain, avec Valentine Chessenet...

— Ah! la rosse!

— Alors, je suis venue à Paris, j'ai... j'ai démoli à peu près le bureau d'Alain, j'ai trouvé les lettres.

— Très bien!

Les yeux de Claudine pétillent, elle tord un mouchoir. Encouragée, je m'emballe...

— ... et puis j'ai tout laissé par terre, les lettres, les papiers, tout... il les trouvera, il saura que c'est moi... seulement, je ne veux plus, je ne veux plus, vous comprenez, je ne l'aime pas assez pour rester avec lui, je veux m'en aller, m'en aller, m'en aller...

Je suffoque de larmes et de hâte, levant la tête pour chercher l'air. Claudine embrasse délicatement mes deux mains, et demande à voix très douce :

— Alors... c'est le divorce que vous voulez?

Je la regarde, hébétée :

— Le divorce... pour quoi faire?

— Comment? Elle est extraordinaire! Mais voyons, puisque vous ne voulez plus vivre avec lui?

— Bien sûr. Mais est-ce que c'est nécessaire, le divorce?

— Dame, c'est encore le plus sûr moyen, sinon le plus court. Quelle enfant!

Je n'ai pas le cœur à rire. Je m'affole peu à peu :

— Mais comprenez donc que je ne voudrais pas le revoir! j'ai peur, moi

— C'est bravement dit. Peur de quoi?

— De lui... qu'il me reprenne, qu'il me parle, peur de le voir... Il sera peut-être très méchant...

Je frissonne.

— Ma pauvre petite! murmure Claudine tout bas, sans me regarder.

Elle semble réfléchir très fort.

— Qu'est-ce que vous me conseillez, Claudine?

— C'est difficile. Je ne sais pas très bien, moi. Il faudrait demander à Renaud...

Terrifiée, je crie :

— Non. A personne, personne!

— Vous êtes bien déraisonnable, mon petit. Voyons... Avez-vous pris les lettres de la dame? me demande-t-elle tout à coup.

— Non, avoué-je un peu interloquée. Pourquoi faire? Elles ne m'appartiennent pas.

— En voilà une raison! (Et Claudine hausse les épaules, très méprisante). Et, zut, je ne trouve rien. Avez-vous de l'argent?

— Oui... Tout près de huit mille francs. Alain m'en avait laissé beaucoup.

— Je ne vous demande pas ça... De l'argent à vous, une fortune personnelle?

— Attendez... trois cent mille francs de dot, et puis, cinquante mille francs liquides, que m'a laissés, il y a trois ans, grand-mère Lajarisse.

— Ça va bien, vous ne mourrez pas. Ça ne vous fait rien, pour plus tard, que le divorce soit prononcé contre vous?

Je réponds par un geste hautain.

— Moi aussi, dit drôlement Claudine. Eh bien mon cher petit... partez.

Je ne bouge pas, je ne dis rien.

— Ma consultation, mon ordonnance ne vous font pas pousser des cris d'enthousiasme, Annie?

Je comprends ça. Mais je suis au bout de mon rouleau et de mon génie.

Je lève sur elle mes yeux noyés de nouvelles larmes, je lui montre sans parler la malle, les rudes vêtements, les longues chaussures, le manteau imperméable, tout ce puéril appareil de globe-trotter, acheté ces jours derniers. Elle sourit, son regard prenant se voile :

— Je vois, je vois. J'avais vu tout de suite. Où allez-vous, mon Annie que je vais perdre?

— Je ne sais pas.

— C'est vrai?

— Je vous le jure.

— Adieu, Annie.

— Adieu... Claudine.

Je l'implore, pressée contre elle.

— ... Dites-moi encore...

— Quoi, ma chérie?

— Qu'Alain ne peut pas me faire du mal, s'il me rattrape?...

— Il ne vous rattrapera pas. Du moins, pas tout de suite. Vous verrez avant lui des gens déplaisants, qui tripoteront des papiers, puis ce sera le divorce, le blâme sur Annie, et la liberté...

— La liberté... (j'ai parlé à voix imperceptible, comme elle). La liberté... est-ce très lourd, Claudine? Est-ce bien difficile à manier? ou bien sera-ce une grande joie, la cage ouverte, toute la terre à moi?

Très bas, elle répond en secouant sa tête bouclée :

— Non, Annie, pas si vite... Peut-être jamais... Vous porterez longtemps la marque de la chaîne. Peut-être, aussi, êtes-vous de celles qui naissent courbées?... Mais il y a pis que cela. Je crains...

— Quoi donc?

Elle me regarde en face. Je vois luire dans leur beauté les yeux et les larmes de Claudine, petites larmes suspendues, yeux dorés qui m'ont refusé leur lumière...

— Je crains la Rencontre. Vous le rencontrerez, l'homme qui n'a pas croisé encore votre chemin. Si, si, répond-elle à mon geste de révolte, celui-là vous attend quelque part. C'est juste, c'est inévitable. Seulement, Annie, ô ma chère Annie, sachez bien le reconnaître, ne vous trompez pas, car il a des sosies, il a des ombres multiples, il a des caricatures, il y a, entre vous et lui, tous ceux qu'il faut franchir, ou écarter...

— Claudine... si je vieillissais sans le rencontrer?

Elle lève son bras gracieux, dans un geste plus grand qu'elle-même :

— Allez toujours! Il vous attend de l'autre côté de la vie!

Je me tais, respectueuse de cette foi dans l'amour, un peu fière aussi d'être seule, ou presque seule, à connaître la vraie Claudine exaltée et sauvage comme une jeune druidesse.

Ainsi qu'à Bayreuth, me voici prête à lui obéir

dans le bien et dans le mal. Elle me regarde, avec
ces yeux où je voudrais retrouver l'éclair qui
m'éblouit au jardin de la Margrave...

— Oui, attendez, Annie. Il n'est peut-être pas
d'homme qui mérite... tout cela.

Son geste effleure en caresse mes épaules et je
m'incline vers elle, qui lit sur mon visage l'offre
de moi-même, l'abandon où je suis, et les paroles
que je vais dire... Elle appuie vivement sur ma
bouche sa main tiède, qu'elle pose après sur ses
lèvres, et qu'elle baise.

— Adieu, Annie.

— Claudine, un instant, rien qu'un instant! Je
voudrais... je voudrais que vous m'aimiez de loin,
vous qui auriez pu m'aimer, vous qui restez!

— Je ne reste pas, Annie. Je suis déjà partie.
Ne le sentez-vous pas? J'ai tout quitté... sauf Renaud... pour Renaud. Les amies trahissent, les livres
trompent. Paris ne verra plus Claudine, qui
vieillira parmi ses parents les arbres, avec son ami.
Il vieillira plus vite que moi, mais la solitude
rend les miracles faciles, et je pourrai peut-être
donner un peu de ma vie pour allonger la sienne...

Elle ouvre la porte, et je vais perdre ma seule
amie... Quel geste, quel mot la retiendraient...?
N'aurais-je pas dû...? Mais déjà, la porte blanche
a caché sa sveltesse sombre et j'entends décroître
sur le tapis le frôlement léger qui m'annonça tout
à l'heure sa venue... Claudine s'en va!

Je viens de lire la dépêche d'Alain. Dans trente-six heures, il sera ici, et moi... Je prends ce soir le rapide de Paris-Carlsbad, qui nous conduisit jadis vers Bayreuth. De là... je ne sais encore. Alain ne parle pas allemand, c'est un petit obstacle de plus.

J'ai bien réfléchi depuis avant-hier, ma tête en est toute fatiguée. Ma femme de chambre va s'étonner autant que mon mari. Je n'emmène que mes deux petits amis noirs : Toby le chien, et Toby le revolver. Ne serai-je pas une femme bien gardée? Je pars résolument, sans cacher ma trace, sans la marquer non plus de petits cailloux... Ce n'est pas une fuite folle, une évasion improvisée que la mienne; il y a quatre mois que le lien, lentement rongé, s'effiloche et cède. Qu'a-t-il fallu? Simplement que le geôlier distrait tournât les talons, pour que l'horreur de la prison apparût, pour que brillât la lumière aux fentes de la porte.

Devant moi, c'est le trouble avenir. Que je ne sache rien de demain, que nul pressentiment ne m'avertisse, Claudine m'en a trop dit déjà! Je veux espérer et craindre que des pays se trouvent où tout est nouveau, des villes dont le nom seul vous retient, des ciels sous lesquels une âme étrangère se substitue à la vôtre... Ne trouverai-je pas, sur toute la grande terre, un à peu près de paradis pour une petite créature comme moi?

Debout, de roux vêtue, je dis adieu, devant la glace, à mon image d'ici. Adieu, Annie! Toute faible et vacillante que tu es, je t'aime. Je n'ai que toi, hélas, à aimer.

Je me résigne à tout ce qui viendra. Avec une triste et passagère clairvoyance, je vois ce recommencement de ma vie. Je serai la voyageuse solitaire qui intrigue, une semaine durant, les tables d'hôte, dont s'éprend soudain le collégien en vacances ou l'arthritique des villes d'eaux... la dîneuse seule, sur la pâleur de qui, la médisance édifie un drame... la dame en noir, ou la dame en bleu, dont la mélancolie distante blesse et repousse la curiosité du compatriote de rencontre... Celle aussi qu'un homme suit et assiège, parce qu'elle est jolie, inconnue, ou parce que brillent à ses doigts des perles rondes et nacrées... Celle qu'on assassine une nuit dans un lit d'hôtel, dont on retrouve le corps outragé et sanglant... Non, Claudine, je ne frémis pas. Tout cela c'est la vie, le temps qui coule, c'est le miracle espéré à chaque tournant du chemin, et sur la foi duquel je m'évade.

IMPRIMÉ EN FRANCE PAR BRODARD ET TAUPIN
7, bd Romain-Rolland - Montrouge - Usine de La Flèche.
LE LIVRE DE POCHE -

ISBN : 2 - 253 - 01090 - 1   30/0238/3